アメリカ合衆国
United States of America

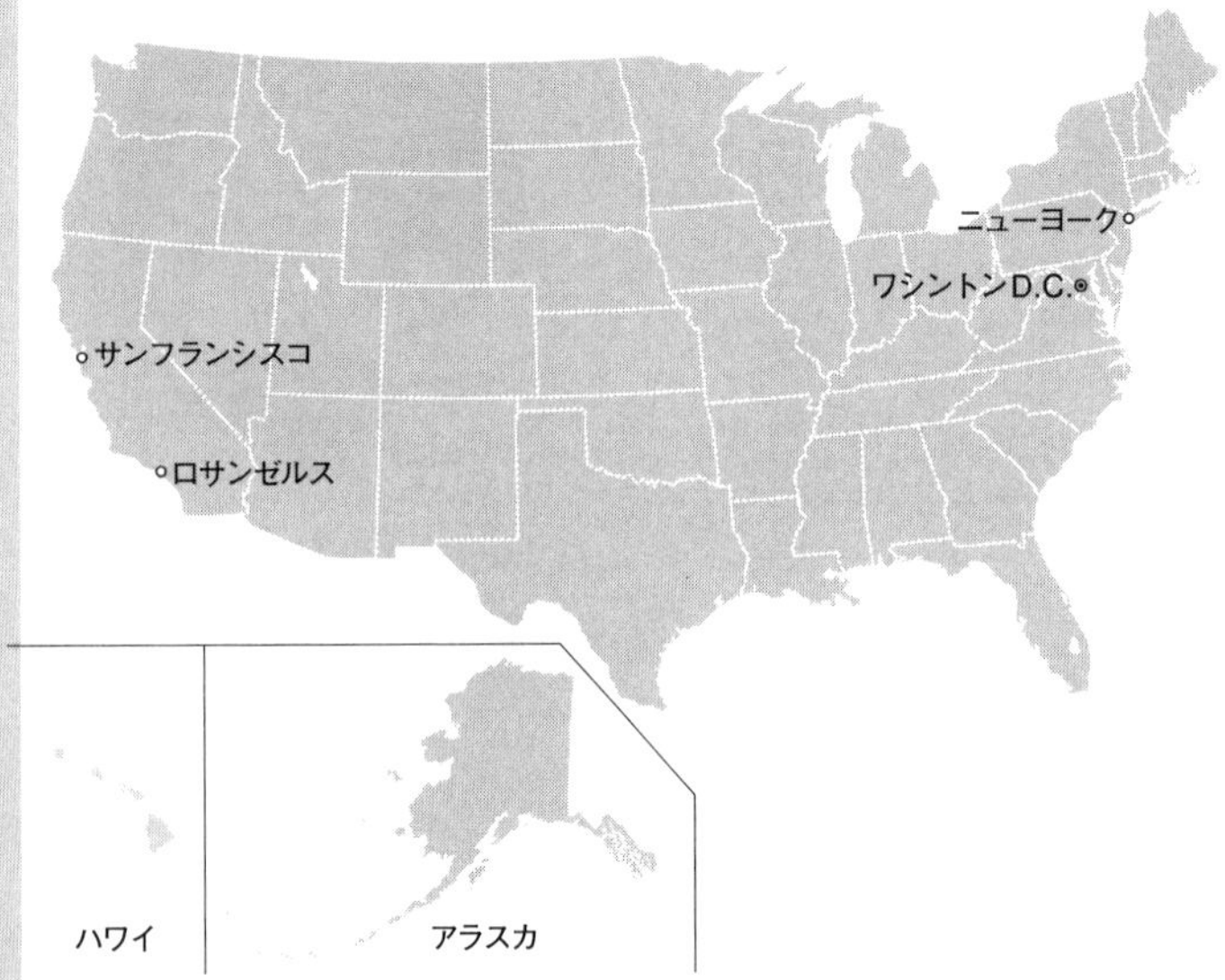

基礎データ

面積	371.8万平方マイル（962.8万平方キロメートル、50州・日本の約25倍）
人口	3億2775万人（2018年5月 アメリカ国勢局）
首都	ワシントンD.C.
言語	主として英語（法律上の定めはない）
宗教	信教の自由を憲法で保障、主にキリスト教
政体	大統領制、連邦制（50州ほか）

出典：外務省ホームページ

はじめに

２０２１年１月、アメリカの第46代大統領に民主党のジョー・バイデン氏が就任しました。前年11月に行われた大統領選挙で、バイデン氏は対立候補のドナルド・トランプ大統領を破ったのですが、トランプ大統領は負けを認めませんでした。

それどころか、根拠なく「実際は自分が大差で勝っている」と主張し、混乱が続きました。

11月の選挙で選ばれるのは大統領選挙人で、この人たちが投票し、翌年の１月６日に連邦議会で開票されます。大統領選挙人が選ばれた段階で結果は明らか。１月６日は形式的な開票作業が行われるだけのはずだったのですが、トランプ大統領は当日、ホワイトハウスの前に支持者を集め、「連邦議会に行進しよう」と呼びかけました。開票作業に圧力をかけようとしたのです。

この呼びかけを受けてトランプ支持者たちは議会まで行進。さらに一部は暴徒となって議会に乱入しました。アメリカ民主主義の象徴である議会議事堂に大勢の人たちが壁をよじ登り、ガラス窓を割って乱入する。信じられない光景が展開し、警備の警官が発砲。トランプ支持者4人が死亡し、警備の警官もひとり亡くなりました。

これが、民主主義の大国アメリカなのか。多くの人が驚愕しました。どうみても明白なトランプ大統領のうそを信じる人たちが大勢いることや、暴力で選挙結果を変えようとする勢力があることを知ったからです。

これもアメリカの一断面なのですね。

トランプ大統領は自分の責任を認めようとしないまま大統領を退任しました。

アメリカはトランプ大統領の4年間で分断が大きく進みました。しかし、そもそもトランプ大統領が誕生したこと自体、すでにアメリカの分断が進んでいた結果だったのです。

この事態を受け、新しく大統領に就任したバイデン大統領は、アメリカ国民に結束を呼びかけました。

「南北戦争、世界大恐慌、第2次世界大戦、2001年9月11日に起きた米同時テロなどの争いで、苦闘、犠牲や後退を経験しつつも、必ず私たち「良き天使（良心）」が勝利した。

人々が団結し、みんなが前進できるようにした。今、私たちにもできることだ。歴史、信仰、そして理性が導かせてくれる。敵としてではなく、お互いを隣人として敬意を持って接することができる。我々は結束できる。怒鳴り合うのをやめ、緊張感の温度を下げよう。

(中略)

今は試練の時だ。我々は民主主義と真実への攻撃に直面している。猛威を振るうウイルス、広がる不平等、構造的な人種差別の痛み、気候変動の危機。世界における米国の役割。いずれも我々に突きつけられた深刻な課題だ。我々はそれらすべてに同時に直面し、この国は最も重大な責任を果たさなければならない」

アメリカの歴史を見ると、確かにアメリカは数多くの試練に見舞われてきました。とりわけ南北戦争は、同じ国の国民が殺し合った内戦でした。北軍が勝ったとはいえ、負けた南軍には恨みが残りました。リンカーン大統領が「奴隷解放宣言」を発表したのは南北戦争の最中。北軍が勝利したことで、黒人は奴隷の身分から解放されましたが、黒人差別は、その後も長く続きました。２０２０年にも白人警察官によって黒人が殺される事件が相次ぎ、「ブラック・ライブズ・マター(黒人の命も大切だ)」という運動が盛り上がりました。アメリカの差別構造は今も残っているのです。

この困難な中にあっても、バイデン大統領はアメリカの理想を語りました。

「常に皆さんに真実を話す。憲法を守る。民主主義を守る。米国を守る。権力ではなく可能性を、個人的利益ではなく公共の利益を考えて皆さんのために尽くす。そして共に、私たちは恐れではなく希望、分断ではなく団結、闇ではなく光の米国の物語を書き記す。礼節と尊厳、愛と癒やし、偉大さと寛容の米国の物語を」

（日本経済新聞２０２１年1月22日朝刊の訳による。前の引用文も同じ）

これがアメリカなのですね。常に理想を忘れず、指導者が理想を語る。この姿勢が失われないかぎり、アメリカは偉大な国であり続けるでしょう。

日本はアメリカの親密な同盟国です。アメリカの大統領が誰になるかによって、大きな影響を受けるのです。そこで、改めてアメリカという国について考えてみましょう。

二〇二一年一月

ジャーナリスト　池上　彰

目次

池上彰の世界の見方 アメリカ2

超大国の光と陰

本書の情報は2021年1月末日現在のものです。

本書は、東京都立国際高等学校で行われた授業をもとに、適宜加筆して構成しています。

第1章

2020年
大統領選挙から
見るアメリカ

大統領選挙から見える意外なアメリカ

アメリカ大統領選挙は4年に一度行われます。候補者が出馬を表明してから本選挙まで、2年近くの長い期間をかけて選ばれます。2020年の大統領選挙はコロナ禍の最中に行われ、異例づくしの選挙となりました。郵便投票が激増して結果が出るまで時間がかかり、その間にドナルド・トランプ支持者とジョー・バイデン支持者が激しく対立。トランプの敗北宣言がないまま、当選確実になったバイデンの勝利演説が行われました。

日本での関心も高く、アメリカ大統領選挙の仕組みや、州や都市の名称・場所を覚えたという人も多かったようです。だからこそ、2020年の大統領選挙を改めて見直すことによって、私たちが知らない意外なアメリカの姿が浮き彫りにされるのではないかと思うのです。

Q 長い選挙期間中に、気になったニュースはありますか？

――「ブラック・ライブズ・マター」の運動です。

黒人男性が白人警察官に首を圧迫されて死亡した事件をきっかけに、抗議デモが全米に広がりましたね（写真①）。ブラック・ライブズ・マター（Black Lives Matter）という英語はみんなに知られるようになりましたが、当初これを日本語に訳す時に困りました。なんと訳しますか？

――**黒人の命も大切だ。**

はい、私も今はそう訳しています。でも、最初は「黒人の命は大切だ」と訳すメディアも多かったのです。黒人の命は大切だというと、黒人以外の命はどうでもいいのかって突っ込みたくなるよね。日本語だと「は」なのか、「も」なのか、「が」なのかによってニュアンスが違います。訳すってすごく難しいなと思いました。そのブラック・ライブズ・マター運動ですが、ニュースを見てどう思いましたか？

――**黒人差別がまだ続いている、ということが衝撃**

写真①―全米各地で行われたブラック・ライブズ・マター運動｜写真提供：時事

でした。

そうだね、アメリカには今もこんなに人種差別があるのか、と驚いた人が多いと思います。人種差別を禁じる公民権法は１９６４年に成立しています。近年では黒人のバラク・オバマ大統領が誕生したし、スポーツや音楽をはじめ、さまざまな分野で黒人が活躍しているので、黒人差別は過去のものだと思っていたかもしれません。

でも、そうではなかった。黒人の間でも少数のエリートと多数の低所得層に分断されています。黒人差別は根強く残っているのです。黒人差別の歴史や現在の問題については、このあと第3章で詳しく解説しましょう。

大統領選挙が行われる年には、１〜6月頃までの間に、州ごとに各党の候補者を決める「予備選挙」か「党員集会」が開催されます。大統領候補選出にはふたつの方法があって、党員の投票で決めるのが「予備選挙」、党員たちが集まって議論して決めるのが「党員集会」です。

私はアメリカ大統領選挙の年には何度も現地取材に行き、10月からは選挙が終わるまで滞在するのが常です。しかし、２０２０年は新型コロナウイルスの影響で、途中から取材が困難になってしまいました。かろうじて現地に行けた2月と、前回の２０１６年の選挙の時に買ってきた応援グッズを持ってきたので見てください（左ページ写真②）。

写真②—**大統領選挙での各候補者の応援グッズ**

この真っ赤な帽子、「KEEP AMERICA GREAT」と書いてあります。トランプ大統領によってアメリカはグレートになったから、あと4年間続けようというものでした。そしてこれは2016年の「MAKE AMERICA GREAT AGAIN」、アメリカを再び偉大にと書かれた帽子。こっちのスローガンのほうがやっぱり今でもよく知られているよね。

トランプは中国に対してさまざまな批判をしてきたでしょう。でも、この帽子、メイド・イン・チャイナ（Made in China）と書いてありますね（笑）。実は、その後アメリカ国内でもつくられたのですが、メイド・イン・チャイナのグッズが数多く出回っているのです。

応援グッズといえば、アメリカはTシャツがいちばん多いですね。みんな勝手にさまざまなTシャツをつくるからなのですが、私が買ってきたトランプのTシャツには「MAKE AMERICA BADASS AGAIN」と書かれています。英語の得意な国際高校のみなさん、この「badass」はどういう意味でしょうか？

――イケてる？

そう、さすがだね。綴りを見ると、すごく悪い意味のように思えるけど、badassはスラングで「素晴らしい、イケてる」という意味です。日本語の「ヤバい」と同じような使われ方だね。どちらにでも解釈してください、という非常によくできたTシャツです。

一方、これが民主党のバイデン陣営ですね。「BIDEN 2020」というシンプルなロゴですね。バイデンの支持者はこのTシャツを着て応援していました。

――ジョー・バイデンさんは、どんな人なのですか？

優しくて思いやりがある人だといわれています。それは彼自身が大きな悲劇を二度経験しているからでしょう。29歳で上院議員に初当選した直後に奥さんと1歳の長女を交通事故で亡くし、同乗していたふたりの息子も重傷を負いました。自殺や議員辞職も頭に浮かんだそうですが、幼い息子たちのために生き続けて戦うほかない、と奮起します。その後、現在のジル夫人と再婚しました。

それから政治家としてのキャリアを重ね、オバマ政権では副大統領となりましたが、交通事故で生き延びた長男が脳腫瘍で死亡。再び悲劇に襲われました。そうした経験から、人々に共感し、励ます言葉に真実味があり、分断が深まったアメリカを修復する「ビルド・バック・ベター（Build Back Better／よりよきものに立て直す）」をスローガンにしています。副大統領時代に2度来日していますが、2011年、東日本大震災から5か月後に宮城県名取《なとり》市を訪れた時は、被災者たちを温かい言葉で励ましています。

バイデンは過去に2回、民主党の大統領候補者選びに出ていますが、2回とも途中で撤退しました。穏健な人柄が、政治の世界ではマイナスに作用したのかもしれません。しかし、今回民主党はトランプに勝つために、共和党支持者を切り崩し、無党派層の支持を上積みできるのは誰かを考え、穏健な中道派のバイデンを選んだのです（p22図表①上）。

また、バイデンは、アメリカ大統領としてジョン・F・ケネディ（在任1961〜63）以来ふたりめのカトリック教徒です。ケネディの時には、プロテスタントでないことが問題にされたのですが、今回は問題になっていません。アメリカでは、宗教も多様化が進んだのだなと思います。

ただし、やはりキリスト教徒がつくった国ですから、バイデンは勝利演説の中で「すべてのことに季節がめぐっている。つくる時、収穫する時、種をまく時、癒やす時がある」という聖書の言葉を引用し、今アメリカは「癒やす時」だと話しました。


――副大統領のカマラ・ハリスさんについて、どう思われますか？


副大統領として、いい選択をしたと思います。大統領と副大統領はセットで選ぶよね。なぜセットで選ぶかというと、もし大統領が暗殺などの不慮の死を遂げた場合、副大統領が昇格します。だから、副大統領も国民から選挙で選ばれたというかたちを取っておけば、副大統領が大統領になっても何も問題がない。だから大統領とセットで選ぶわけです。

それと、副大統領には大統領に欠けているものをカバーする、という役目が求められるのです。バイデンはオバマ大統領の時の副大統領でした。オバマは非常に若くて演説は上手だけど、中央政治の経験がない。特に外交に関してはまったく経験がない。だから外交の経験豊富な、白人のベテランであるバイデンが副大統領に選ばれました。互いにないものをカバーし合うわけです。

今度はバイデンが大統領候補なので、有色人種の若い女性を副大統領に選んだのだね。カマラ・ハリスはお父さんがジャマイカ、お母さんがインド出身です。

ハリスは見事な勝利演説で、注目されましたね。特に、公民権運動の活動家、故ジョン・ルイス下院議員の「民主主義は状態ではなく、行動である」という言葉を引用したのがよかったと思います。カマラは、「民主主義は保証されたものではなく、守るには闘いと犠牲が必要だが、喜びや進歩もある」と語っていました。

「私は初の女性副大統領になるけれど、最後にはならない」というのも記憶に残る名言でしたね。彼女が注目されるのは、バイデンの年齢が高いので、4年後の2期目はカマラ・ハリスが黒人の女性大統領になる可能性があるからです（p22図表①下）。

実は、もうひとり、私は共和党のニッキー・ヘイリーという女性に注目しています。彼女の両親はアメリカに移住してきたインド人です。サウスカロライナ州議会の下院議員を経て、同州知事として頭角を現し、トランプ政権で最初の国連大使になりました。しかし、トランプの指示どおりに、めちゃくちゃなことを言わざるを得なくて、各国の大使から顰《ひん》蹙《しゅく》を買ってしまった。すると、2年足らずでさっさと辞めてしまいました。

図表①―**ジョー・バイデンとカマラ・ハリス**

大統領
ジョー・バイデン
Joe Biden
78歳

1942年11月20日、ペンシルベニア州スクラントンに生まれる
1972年、29歳で上院議員に当選
1987年、民主党大統領選挙指名に初出馬
2007年11月、大統領選挙へ2度めの出馬を宣言するも、2か月後に撤退
2008年8月の民主党大会で副大統領候補に指名される
2009年1月、オバマ大統領とともに副大統領に正式就任（～2017年、2期）
2020年8月、3度めの大統領選出馬で正式に民主党候補に。12月、大統領選挙で勝利が確定
2021年1月、第46代アメリカ大統領に就任

1964年、10月20日、カリフォルニア州オークランドに生まれる。父はジャマイカ、母はインドからの移民
2003年、サンフランシスコ地方検事に選出され、2011年にカリフォルニア州初の黒人系検事総長に就任
2016年、上院議員に当選
2019年1月、民主党の大統領選挙候補指名に出馬するも、年末に選挙戦から撤退
2020年8月、バイデン氏から副大統領候補に指名される
2021年1月、アメリカ副大統領に就任

副大統領
カマラ・ハリス
Kamala Harris
56歳

国連大使だったのはキャリアになりますが、これ以上やると自分の未来がないと判断したのでしょう。恐らく4年後を狙っています。ひょっとすると、4年後はインド系の女性同士の戦いになるかもしれません。ちょっと気が早いですが（笑）。

有権者登録をしないと投票ができない

２０１６年の大統領選挙の時は、共和党のトランプ陣営はものすごく閉鎖的で、私たち海外メディアは集会には一切入れませんでした。外国のメディアに取材を認めても票が増えるわけじゃない、というのが理由です。

そこで、私が何をしたかというと「トランプを大統領に」と書かれたカードを持ち、バッジをつけて入り口に並んでみたのです。すると、なぜか入れてしまいました（笑）。会場の中で取材できたのですが、本当に白人ばかり！　黒人がまったくいない、私のようなアジア系もいない。目立ってしまって困惑しました。

一方、民主党のヒラリー・クリントン陣営は海外のメディアにも自由に取材させてくれました。ヒラリーの集会には、多種多様な人種がいました。でも、みんな年齢が高く、若い人が全然いませんでした。対照的に、同じ民主党のバーニー・サンダースのところに行くと、若者たちが、それはもう熱狂的に応援していたのです。
アメリカの大学は学費が高く、最近の調べでは私立大学だと、年間で360万円くらいかかります。国立大学はありません。州立大学でも州外から入ると250万円くらいで、公立も高い。私立大学の学生が学費ローンを組むと、卒業する段階で1500万円近い借金を抱えます。そこで、学生の借金を全部キャンセルしようというのがバーニー・サンダースの主張です。今回の選挙では、やはり民主党の大統領候補になろうとしていたエリザベス・ウォーレンも同様の主張をしました。その結果、バイデン候補に敗れたものの、ふたりは若者たちの支持を集めました。

――アメリカの若者たちが選挙集会で熱狂的になっている姿を見て、日本との差をすごく感じました。

テレビは選挙集会で熱狂している人たちだけを撮るので、アメリカってものすごく政治に関心のある人が多いなと思うかもしれません（左ページ写真③）。今回はコロナ禍の選挙で郵便投票を含めて期日前投票をする人が1億人を超え、過去最高の約66％という投票率でした。しかし、通常の投票率は約50〜60％で、実は日本の選挙の投票率とあまり変わらないのです。今回は66％を超えたと見られ、「100年ぶりの高投票率」といわれました。

――なぜ、通常の投票率は高くないのでしょうか？

アメリカの場合、事前に「有権者登録」をしなければ投票権が得られない、ということがあります。「投票する権利は与えられるものではなく自力で獲得するもの」という考え方だね。

日本の有権者は、アメリカと同じく18歳以上ですが、選挙が近づくと自動的に選挙管理委員会から投票所入場券が送られてくるでしょう。ところが、アメリカでは自分が住んでいる地域の地方選挙登録事務所に行き、「私は有権者で選挙に参加します」という登録を自ら行わなくてはならないのです。そのため有権者登録をする若者は少なく、それがそのまま若者の低投票率につながっています。

土地が広大なアメリカでは投票所が自宅

写真③―トランプの選挙集会の熱狂ぶり｜写真提供：EPA＝時事

近くにありません。アメリカは自動車社会だから、みんな自動車があって車を運転していると思うでしょう。でも、低所得層、とりわけ黒人の低所得層はマイカーを持っていない人たちが大勢います。有権者登録や投票に行くのに、バスなどを乗り継いで行かなければならない。結果的に黒人の低所得層はあまり投票に行きません。

アメリカの場合、だいたい高校で自動車免許の講習もしていて、高校を卒業する時点で運転免許を取得することができます。しかし、黒人の低所得層だと高校に行かなかったり、中退したりして、運転免許を持っていないことも多い。

運転免許証を持っていないと、日本のような戸籍制度がないので、身分証明になるようなものがない。いわゆる黒人差別のひとつとして、有権者登録をしに行くと「お前の身分を証明するものがないじゃないか」と門前払いになることがあります。

さらに、運転免許を持っていて有権者登録をすませたとしても、投票に行くと嫌がらせを受けることがあります。たとえば、ビルという名前の人。ビルはウィリアムの愛称で、元大統領のビル・クリントンも正式にはウィリアム・クリントンです。有権者登録にビル・クリントンと書いて投票に行くと、運転免許証にウィリアム・クリントンと書いてあるから名前が違うと言われて投票できない。

黒人に対して厳しい態度を取り、実際に投票できないようにする。そういうことが実は南部の共和党が強い地域などで、現在も行われているのです。日本のテレビニュースでは、主にニューヨークやワシントン、ロサンゼルスの情報が紹介されるので知る機会がありませんが、アメリカには「テレビに映らない現実」もあるのです。

アメリカ大統領選挙の仕組みは独特だ

アメリカ大統領選挙の流れをおさえておきましょう（p28図表②）。大統領選挙では、州ごとに候補者が立候補の登録をします。各州で決められた数の支持者の署名を添えて立候補の届け出をするのです。そのため、全米50州すべてで立候補できるのは、組織力のある共和党、民主党の候補だけということが多く、実質的にふたりの争いになります。

本選挙（一般選挙）の投票は連邦法で11月の第1月曜日の翌日の火曜日と定められています。有権者の投票によって選ばれるのは、実は「大統領選挙人」です。選挙人の数は全米で538人。人口に応じて各州に割り当てられています。

たとえば、ある州の選挙人の割り当て数が20人だとします。その州の投票でA候補がB候補より1票でも多く取れば、選挙人20人の枠は全部A候補が獲得することになります。

図表②―**アメリカ大統領選挙の流れ**

大統領選挙スケジュール

立候補

それぞれの党で候補者が出馬を表明

選挙年の1～6月頃

予備選挙・党員集会

各党とも、アイオワ州を皮切りに全米50州で順次行われる。3月初旬の火曜日には複数の州で開催される。この日選ばれる代議員の顔ぶれで最終候補が想定できるため、「スーパー・チューズデー」と呼ばれる

7～9月頃

全国党大会

各党とも、50州すべての予備選挙や党員集会で選出された代議員の投票に

各党の動き

民主党

A氏　B氏　C氏　D氏

共和党

E氏　F氏　G氏　H氏

大統領になるためには
①アメリカ生まれであること
②14年以上アメリカに住んでいること
③35歳以上であること
以上3点を満たしていれば立候補できる

各党の候補者を決めるための「代議員」を選ぶ

「予備選挙」は党員が投票して決める方法。「党員集会」は党員が各地で集まって議論して決める方法

各党の統一候補を正式に指名

よって、候補者が1名にしぼられる。ただし、実際は予備選挙・党員集会の時点でほぼ確定しているため、大統領選を盛り上げるためのイベント的なものになっている

11月第一月曜の翌日

本選挙戦

一般選挙に向けての選挙活動が始まる。

12月中旬

一般選挙後に選挙人獲得数が集計され、事実上、この時点で新大統領が決定する。大統領選挙人による投票は形式的なものといえる

翌年1月初旬

1月20日

大統領就任式

GOAL!!

民主党指名候補
A氏

共和党指名候補
E氏

各候補者は一般選挙へ向けて、全国遊説、テレビ討論会などの選挙活動が始まる

マスメディアへの露出でイメージ戦略も重要

各党、50州すべてで「大統領選挙人」を選出

一般選挙

有権者となるには
①18歳以上であること
②アメリカ国籍を有していること
③事前に「有権者登録」をしていること

大統領選挙人による投票

開票

○○党△氏、大統領就任！

新政権スタート！閣僚・大使・高級官僚すべてが入れ替わる

Q　1票でも多ければ、選挙人をすべて獲得できる方式をなんといいますか？

――**「勝者総取り」です！**

正解です。「勝者総取り」というルールは、アメリカ大統領選挙のニュース解説で必ず出てきますね。先ほどの例でいえば、候補者はあらかじめ自分の支持者の中から20人を選び出して選挙管理委員会に届けてあります。この人たちが自動的に、勝ったA候補の選挙人になるわけです（例外の州もあります）。

そして、この選挙人たちが、12月にそれぞれの州都に集まって投票し、その票を翌年1月に連邦議会の議場で開票します。それで、ようやく大統領が正式に決まるのです。でも、11月の一般選挙でどの候補がいちばん多く選挙人を獲得したかわかるよね。だから、11月の一般選挙の段階でアメリカ大統領の当選が決まるわけです。

2020年の選挙では、トランプ陣営がすぐには敗北を認めず次々と訴訟を起こしましたが、すべて裁判所が却下しました。

結局、2021年1月6日に連邦議会の議場でバイデン当選が最終的に確定しましたが、トランプの支持者が議会に乱入して、一時、議員たちが避難して決定が遅れました。

——どうして、「大統領選挙人」を選ぶ方法をとっているのですか？

それは、アメリカ建国以来の伝統を守っているからなのです。アメリカという国が誕生した頃には、全米規模でいっせいに投票することは不可能でした。広大な土地での交通手段は乏しく、読み書きできる人も限られていました。

読み書きできない人々が大統領を選ぶのは難しいだろうと考えた合衆国憲法の起草者たちは、大統領を選ぶだけの判断力を持った人物を「大統領選挙人」にして大統領選出を任せたのです。当初の大統領選挙人は、各州の議会が選んでいました。

やがて「選挙人は国民自らが選ぶべきだ」という声が高まり、１８３０年代に、国民の投票で大統領選挙人が選ばれる現在のかたちになりました。大統領選挙については、既刊の『池上彰の世界の見方　アメリカ』で、仕組みやスケジュールを詳しく解説しているので、基礎から知りたい人は読んでみてください。

総得票数で勝っても選挙人の数で負けてしまう

勝者総取りルールのせいで、総得票数で勝っても、選挙人の数で負けてしまうことがあります。実例を知っていますか？

――2016年の大統領選挙でヒラリー・クリントンのほうが総得票数が多かったのに、選挙人の数でトランプに負けました。

はい、よく覚えていましたね。事前の世論調査ではヒラリーが優勢でした。実際に総得票数ではトランプより約290万票も多かったのですが、勝者総取りのルールによってトランプ大統領が誕生しました（左ページ図表③）。

実は、2000年に行われた大統領選挙でも同じようなことが起きています。民主党のアル・ゴア候補が共和党のジョージ・ブッシュ（息子）候補と争い、総得票数ではゴア候補のほうが多かったのですが、選挙人の数は逆にブッシュ候補のほうが勝り、ブッシュが大統領に当選しました。

――総得票数が多いほうが落選するのは、民主主義としておかしくないですか？

11月の本選挙は、50の州がそれぞれ誰を大統領にするか決めて、その意見をまとめるために行うものです。アメリカでは連邦より州のほうが優先されます。アメリカの州はそれぞれひとつの国家（State）で、複数の国家が集まって連邦国家がつくられたからです。

日本の場合、明治維新で日本という近代国家ができて、藩を県にして中央政府の下に位置づけたでしょう。日本では都道府県の役所のことを都道府県「庁」と呼びますが、アメリカでは州「政府」です。

図表③―**2016年大統領選挙の得票数と獲得選挙人数**

出典:FEDERAL ELECTION 2016:ELECTION RESULTS FOR THE U.S. PRESIDENT　写真提供:AFP=時事

民主党		共和党
ヒラリー・クリントン		ドナルド・トランプ

6585万3514 48.18%	得票数 得票率	6298万4828 46.09%
227 (20州)	選挙人 獲得数	304 (31州)

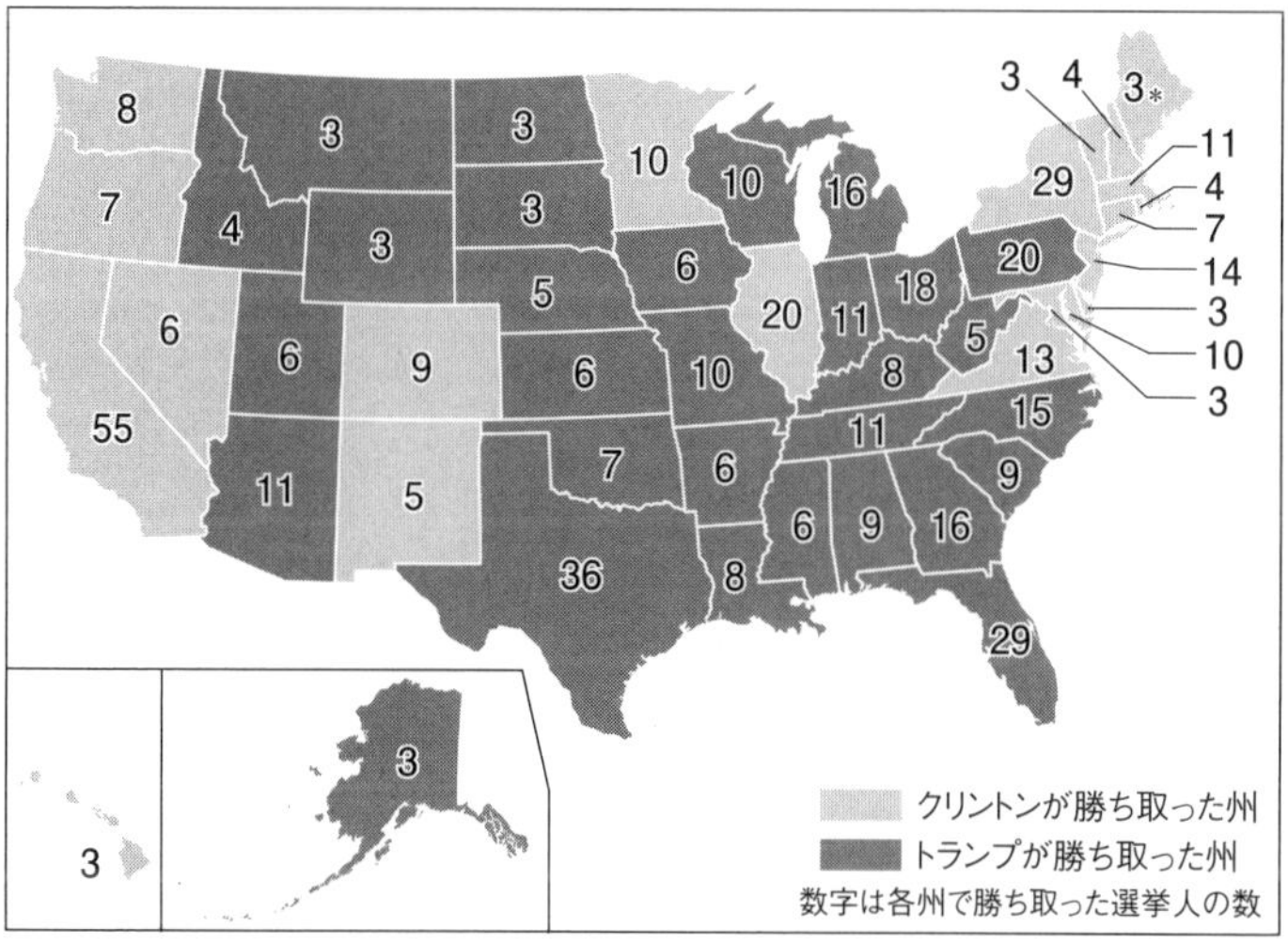

2016年の大統領選挙では、クリントンが得票数でトランプを上回ったが、選挙人獲得数で敗れたため、トランプが大統領に当選した(数字は誓約違反のあった選挙人を省いた数)。
＊メーン州は全4票のうち、クリントンが3票、トランプが1票を獲得。

「州」の決定を持ち寄って「連邦」の大統領を決めるから、総得票数と結果が違ってもおかしくない、というのがアメリカの考え方なのです。

ちなみに、先ほど話したゴア候補とブッシュ候補が争った2000年の大統領選挙では、フロリダ州で票の数え間違いが相次ぎ、票の数え直しが行われました。日本の投票では、有権者は投票用紙に候補者の名前を書きますが、アメリカはそうではありません。字を書けない人がいるので、投票用紙にあらかじめ候補者名が印刷されているのです。

ちなみに当時、フロリダ州では地域（郡）によっては、有権者が投票する候補の名前の横に穴を開ける、という方法を取っていました。

同じ国の中でも地域によって投票の方法が異なるというのは、日本人には大変違和感がありますが、州は独立した国家のような存在なので、選出方法も州に委ねられているのです。

大統領選挙はとてつもない金権選挙

アメリカ大統領選挙には大変な金額がかかります。政治献金などを調べるセンター・フォー・リスポンシブ・ポリティクスによると、2020年の選挙にかかった総額は約14

0億ドル（約1兆4700億円　1ドル＝105円で計算、以下同）で過去最高でした。

――すごい金額ですね。なぜ、そんなにお金がかかるのですか？

ひとつは選挙の期間が長いことです。出馬表明から選挙まで2年近くかかるでしょう。また、国土が広いため、地方への移動が広範囲に及び、移動資金もかかります。

しかし、最大の理由は宣伝広告費です。候補者は有権者に広く支持を呼びかけるため、テレビコマーシャル（CM）を放送します。CMは無制限にできます。また、以前は宣伝の方法がテレビ放送だけでしたが、ネットメディアやSNSの普及で、広告を載せることができる媒体が増えたことも影響しています。

候補者たちは、有権者たちをできるかぎり取り込むため、情報分析会社に有効な宣伝方法の調査を依頼するなど、多額の資金をかけて戦略的に広告を打っています。

効率的な戦略といえば、やはりCMです。CMは主に支持が伯仲している激戦州で、がんがん流れます。州ごとに選挙人の数をひとりでも多く取れるかどうかの争いだから、勝負が決まっている州にはお金を使わないわけです。ただし、ネガティブ・キャンペーンのCMは相手候補の支持が高いと思われる州で流されることもあります。

トランプ陣営はバイデン陣営を貶めるために、バイデンが副大統領だった頃に中国の習近平国家主席とグラスを傾け乾杯している映像を出して、「バイデンはこんなに習近平と仲がよくて、中国べったりだ。その点、トランプは中国に厳しい態度を取っている」というCMを盛んに流していました。

実際には、トランプも大統領として習近平と仲よく握手している映像があります。だから、逆にバイデン陣営はその映像を流すわけです。トランプは都合のいいことを言っているけど、実際には仲がいいじゃないかと。両陣営でネガティブ・キャンペーンのCMを朝から晩まで流していました。テレビ局は広告収入が増えるから、接戦になると喜ぶわけだよね。

――選挙資金を規制する法律とかはないのですか？

連邦選挙運動法によって選挙資金などについての規制はあります。たとえば個人の献金は、ひとりの候補者に対して、1回の選挙で2000ドルまでとなっています。国から一定の資金援助も受けられますが、さまざまな規制を受けるので、自由な活動ができなくなる。だからあえて受け取らないのです。

過去には国からの資金の限度内で選挙活動を行っていたのですが、2008年の選挙に出馬したオバマ候補に多額の献金が集まっちゃって、オバマ候補は国からの支援なしで選挙を戦ったのです。それ以来、みんなからお金を集めるやり方がいい、ということになっています。献金が多いということは、人気の証明になるわけだよね。

巨額の献金を可能にしたスーパーＰＡＣ《パック》

――候補者への個人献金は上限があるのに、そんなに莫大なお金がどうして集まるのですか？

アメリカでは、企業や団体が候補者へ直接献金することは禁じられています。ただし、合法的な受け皿があります。それがＰＡＣ（政治活動委員会／Political Action Committee）という政治資金管理団体です。

献金は個人からに限定され、その上限は年間５０００ドルです。企業の役員や団体の幹部らが個人の資格でＰＡＣに献金します。特定の候補者に属するＰＡＣと属さないＰＡＣがあり、その数は４０００〜５０００あるといわれています。

２０１０年に、連邦最高裁判所が特定の候補者に属さないＰＡＣについては献金額の上限を撤廃する判決を下しました。候補者から独立した政治団体への献金に金額の上限を設けるのは、自由を尊重するアメリカの建国精神に反するなどとして、憲法違反だと判断したのです。

この判決によって特定の候補者から独立した政治団体は、資金力のある個人や大企業から政治資金をいくらでも集められるようになり、「スーパーＰＡＣ」と呼ばれるようになりました。

スーパーPACは、投票を促すなどの「選挙活動」は禁じられていますが、政策の主張や相手候補への批判などの「政治活動」は認められています。表向きは各候補から独立していますが、莫大な献金の多くは、CMなどで他の候補を中傷する「ネガティブ・キャンペーン」に用いられています。

たとえば、全米ライフル協会は多額の広告費を使って、銃規制を訴える候補者に対してネガティヴ・キャンペーンを展開しています。そのため、実質的には特定の候補者への支援につながっているとの批判もあるのです。

スーパーPACが認められて以来、アメリカは、とてつもない金権選挙になってしまっているのです。

郵便投票をめぐって混乱

――トランプ大統領は郵便投票に不正があると言って、票の集計停止や再集計を求めました。どういうことだったのですか？

2020年の選挙では、コロナ感染防止のため、郵便投票を選ぶ人が大幅に増えました

（写真④）。最終的に全米で郵便投票を含む期日前投票は1億票以上もありました。

開票作業をいつ始めるかは、各州の制度によって違います。激戦州だったミシガン、ウィスコンシン、ペンシルベニアを含む10州は、期日前投票の集計を投票日まで始めませんでした。さらに、投票日以降に届いた郵便投票を有効と認める州もあります。その分、結果が出るまで時間がかかります。トランプは選挙前から、郵便投票の急増で大量の不正が起きると主張していました。郵便と投票所で「二重投票」が起きたり、「なりすまし」の投票が行われたりするというのです。

しかし、トランプは根拠を示しませんでした。2016年の時には、有権者の約4

写真④―郵便で届いた投票用紙の山｜写真提供：AFP＝時事

人にひとりが郵便投票を含む期日前投票をしていて、不正はほとんどありませんでした。

郵便投票する際には、宣誓書などへの署名が義務づけられていて、事前の有権者登録の署名と照合されます。また、二重投票を防ぐために、電子システムを導入し、有権者が郵便投票を申請したか、返信された郵便投票が受理されたか、開票所の担当者が追跡できるようにするなど、各州が不正対策を実施しています。さらに、ほとんどの州で、政党から指名された立会人による開票監視も行われていますから、不正が起きる可能性は低いのです。要するに、トランプは郵便投票の数を減らしたかったのですね。

君たちは、アメリカ大統領選挙の投票用紙を見たことがありますか？　投票用紙の写真を見てください。これは、２０２０年の大統領選挙のニューヨーク市の投票用紙です（左ページ写真⑤）。

――ずいぶん大きくて長い。それに文字が多いですね……。

これは全部投票する項目なのです。誰を選ぶか印をつけるようになっていますね。まず、大統領と副大統領をセットで選びます。それだけでなく、大統領選挙の時には、連邦議会の下院議員全員と上院議員の3分の1の投票も行われます。下院議員の任期は2年、上院議員の任期は6年なので、2年ごとに3分の1ずつ選挙をします。

州政府の幹部も選挙で選びます。州議会の議員、地方裁判所の裁判官、教育委員会の教

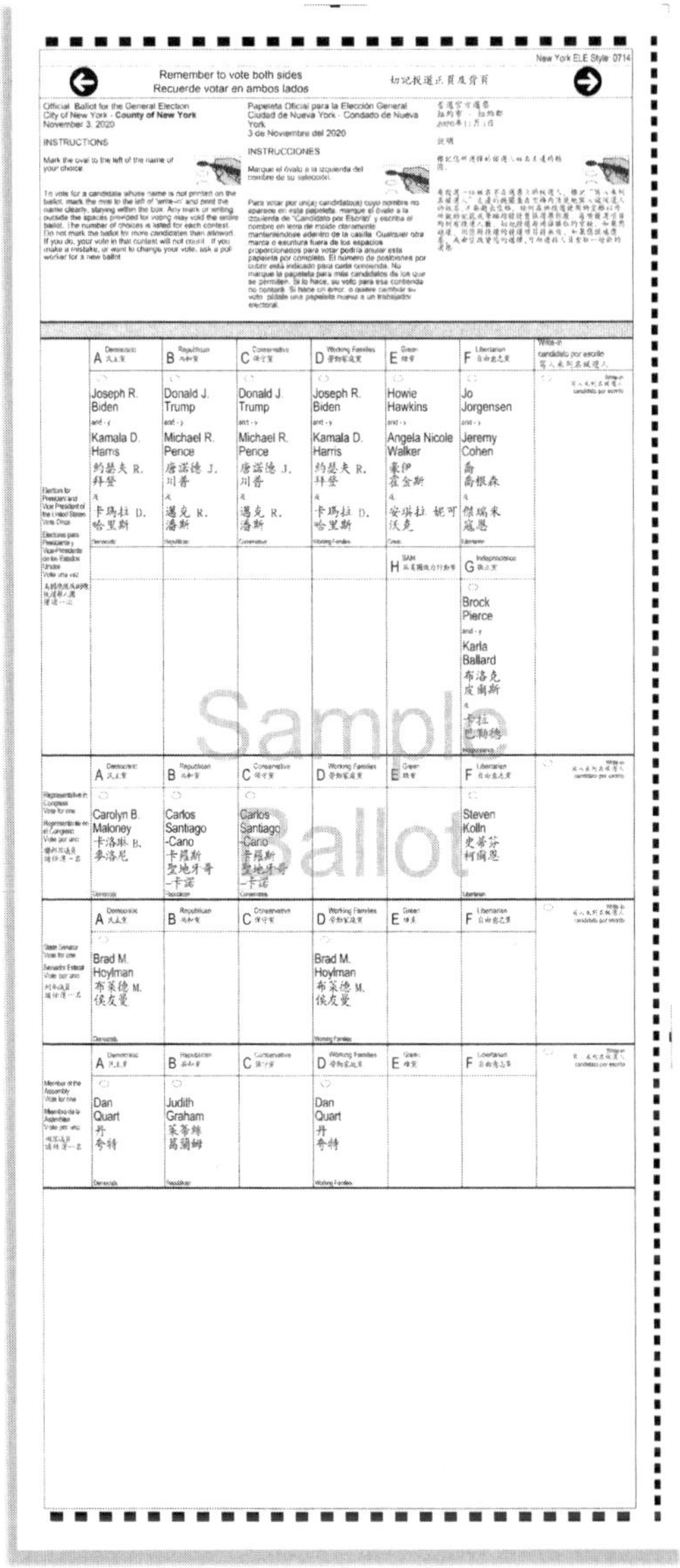

写真⑤—ニューヨーク市の投票用紙。英語以外に中国語でも表記されている

育委員、検察官と警察本部長も印をつけて選ぶわけ。田舎に行くと保安官がいますが、その場合は保安官も加わります。大統領選と同時にいろんな選挙が行われるため、結果的に投票用紙にこんなにたくさんの名前が出ているわけです。

投票用紙の体裁は、州ごとだけでなく、同じ州の市や郡によっても異なります。投票用紙を偽造するなんて、できるわけない、ということが、投票用紙を見るとわかりますね。

Qトランプ大統領はなぜ郵便投票を阻止したかったのでしょう?

――郵便投票するのは民主党を支持する人たちが多いから。

そのとおりです。郵便投票するのは、民主党を支持する人たちが圧倒的に多いのです。投票するには有権者登録しなければなりませんが、登録した時に郵便投票することを伝えれば投票用紙が自宅に送られてきます。白人以外の低所得層の人はサービス産業で働いている場合が多いでしょう。投票日は平日の火曜日です。電車やバスの運転士やゴミの収集などの仕事をしている人は投票日でも休めません。郵便投票を選択する人が多いのです。彼らの多くは民主党を支持しています。

共和党支持者が多い投票所での開票が先に進み、一時的に共和党が優勢になる現象を、同党の赤いシンボルカラーにちなんで「赤い蜃気楼《しんきろう》」といいます。その後、郵便投票の開票が進んで民主党が逆転していくことを、青いシンボルカラーから「ブルーシフト」と呼びます。トランプは、郵便投票による「ブルーシフト」を防ぎたかったのです。

――でも、「赤い蜃気楼」と「ブルーシフト」が起きました。

はい、そうでしたね。開票が進んで形勢不利になると、トランプは選挙に不正があったという、証拠のない主張をツイッターで繰り返し、各地で訴訟を起こしました。

実は、トランプは郵便投票の増加を予想して、選挙前に手を打っていました。

――どんなことをしたのですか?

日本の郵便局は民営化されましたが、アメリカの郵便局は現在も国営事業です。国営事業はどうしても効率が悪く、赤字が続いています。そこで、2020年6月に、経営立て直しのために実業家のルイ・デジョイという人が総裁になったのですが、彼は共和党の大口献金者。つまり、トランプに近い人物です。

デジョイ氏は、赤字解消のためと言って職員に残業を禁止したり、郵便仕分け機を減らしたり、郵便ポストを削減したりしました。そのため、配達が遅れるようになり、アメリカ国内では郵便遅配が深刻な状況になっていったのです。11月の選挙の郵便投票が選挙管理委員会に届くのが遅れれば、投票用紙は無効になります。

これに下院の民主党議員らが抗議し、デジョイ総裁は「改革を大統領選後まで延期する」

と応じましたが、民主党はトランプ陣営による選挙妨害と捉えました。

――大統領が権力を用いて選挙に介入すると、平等な選挙ではなくなってしまいます。対策とかはないのですか？

ずっと守られてきた制度をぶち壊すような大統領が現れて、平然と権力を乱用することを前提にしていなかったからね。それでも、アメリカは歴史的に見ると大統領の権限をできるだけ制限するところからスタートしたのです。

連邦議会は大統領の権限を牽制してきた

18世紀後半に連邦国家が誕生した時、各州の代表者は連邦政府の大統領が強い力を持つことを警戒しました。自分たちの州の権限が奪われると思ったからです。そこで、自分たちの代表である連邦議会が大統領の権限を牽制する仕組みをつくりました。

それが、立法府（連邦議会）、行政府（大統領・副大統領）、司法府（連邦最高裁判所・連邦下級裁判所）の「三権分立」の仕組みです。

Q 日本の政治制度はなんといいますか？

――「議院内閣制」です。

そうだね。日本国憲法も三権分立の原則を定めていますが、日本とアメリカでは、いろいろ異なる点があります。日本では議会から首相を選出します。アメリカは立法府と行政府が独立していて、大統領と連邦議会の議員は別々に選ばれます。大統領は議会を解散させることはできません。でも、議会は「弾劾」といって大統領を辞めさせる力を持っています。さらに、大統領は予算案も法案も議会に提出できません。そもそも、大統領には議会に出席する権利がないのです。

では、大統領は何をするのかというと、予算や法律の方針を議会に提案して、それをもとに議会が予算案や法案を作成するというルールになっています。ニュースで「一般教書演説」という言葉を聞いたことがありませんか？

――**はい、聞いたことがあります！**

あの一般教書が議会に提案する大統領の方針なのです。でも、議会がつくる予算案や法案が大統領の方針とは違うものになる場合もあります。連邦議会と大統領はあくまで対等な立場なのです。

――議会に対して、大統領は対抗する権利がないのですか？

「拒否権」という権利があります。大統領は連邦議会の上下両院を通過した法案への署名を拒否できます。議会が成立させた法律は大統領が署名して初めて効力を持つのです。大統領に署名を拒否された法案は連邦議会に差し戻しされます。そこで両院ともに3分の2以上の賛成で再可決されれば、法案は大統領の署名なしで成立します。

さらに、もうひとつ、議会は重要な権利を持っています。宣戦布告、つまり戦争を宣言する権限は議会にあるのです。

アメリカ大統領の権限が拡大していった

アメリカの大統領は、国家元首と行政の長であり、さらに軍の最高司令官も兼務しています。憲法制定以来、大統領の力は牽制されてきましたが、次第に拡大しました。

きっかけは、世界大恐慌や2度にわたる世界大戦です。緊急事態の時に議会の審議を待っていたら決定が遅れてしまうという理由で、特例的に大統領にさまざまな権限が委譲されました。しかし、世界大戦が終わっても一度手に入れた権限の多くを大統領は放さなかったのです。

たとえば宣戦布告の決定権は議会にありますが、大統領は軍の最高司令官で軍の指揮権を持っていることを根拠に、議会による宣戦布告なしで軍隊を動かし、戦争を始めるようになりました。朝鮮戦争でもベトナム戦争でも議会による宣戦布告は行われませんでした（この教訓から１９７３年に大統領が軍隊を戦争に投入する場合、事前に議会と協議することなどを定めた「戦争権限法」が成立）。

また、アメリカ大統領は法律とほぼ同じ効力を持つ「大統領令」を出すことができます。大統領令とは、軍を含む連邦政府機関に対して大統領が出せる行政命令で、議会の承認を得ずに大統領の独断で政策を実行できてしまうのです。

トランプ大統領は就任直後から「医療保険制度改革（オバマケア）の見直し」「ＴＰＰ（環太平洋パートナーシップ協定）からの離脱」「メキシコとの国境に壁の建設」など物議をかもす大統領令を連発してきました。ここ百数十年の間に、どんどん大統領の力が強くなってしまった、というのがアメリカの歴史の一面なのです。

一気に話してきましたけど、何か質問はありますか？

――あの、池上先生は今回の選挙でトランプとバイデン、どちらが勝つと思っていらっしゃいましたか？

バイデンが勝つと思っていました。投票前日と当日のテレビ番組でも「予想は難しいですが、バイデンが勝つと思います」と言いきってしまいました。ところが、開票初日にはトランプ票が予想以上に伸びて、落ち込みました（笑）。予想を外してジャーナリスト失格ではないかと思ったのです。その後、バイデン票が伸びて勝った時には、正直ホッとしましたね（左ページ図表④）。

バイデンが勝つと思った理由はふたつあります。ひとつは、前回まとまらなかった民主党が反トランプでひとつにまとまったこと。２０１６年の時、バーニー・サンダースの支持者たちはヒラリー・クリントンを嫌って投票しなかったのです。今回は、その反省に立って、サンダースや、ほかの民主党候補者たちが自分の支持者にバイデンへ投票するよう呼びかけました。

もうひとつは、世論調査がバイデン優勢と分析していたことです。前回の世論調査では、ヒラリー優勢の予想が外れたといわれました。しかし、全米の総得票数ではヒラリーがトランプを上回っていました。全米レベルの予想は当たったのですが、州ごとの予想が外れたわけです。その理由は何か？

実は、世論調査に答えた人の大卒比率が高かったのです。世論調査会社は、調査に答えた人たちの学歴に無頓着でした。インテリ層は民主党の支持者が多いので、ヒラリー優勢という調査結果になったのです。今回は、全米の実情に近い学歴比率で調査をしていて精

図表④—2020年アメリカ大統領選挙の結果

｜出典：ロイター（2021年1月11日現在）　写真提供：AFP=時事

民主党		共和党
ジョー・バイデン		ドナルド・トランプ

8128万3077 51.3%	得票数 得票率	7422万2965 46.9%
306 （26州）	選挙人 獲得数	232 （25州）

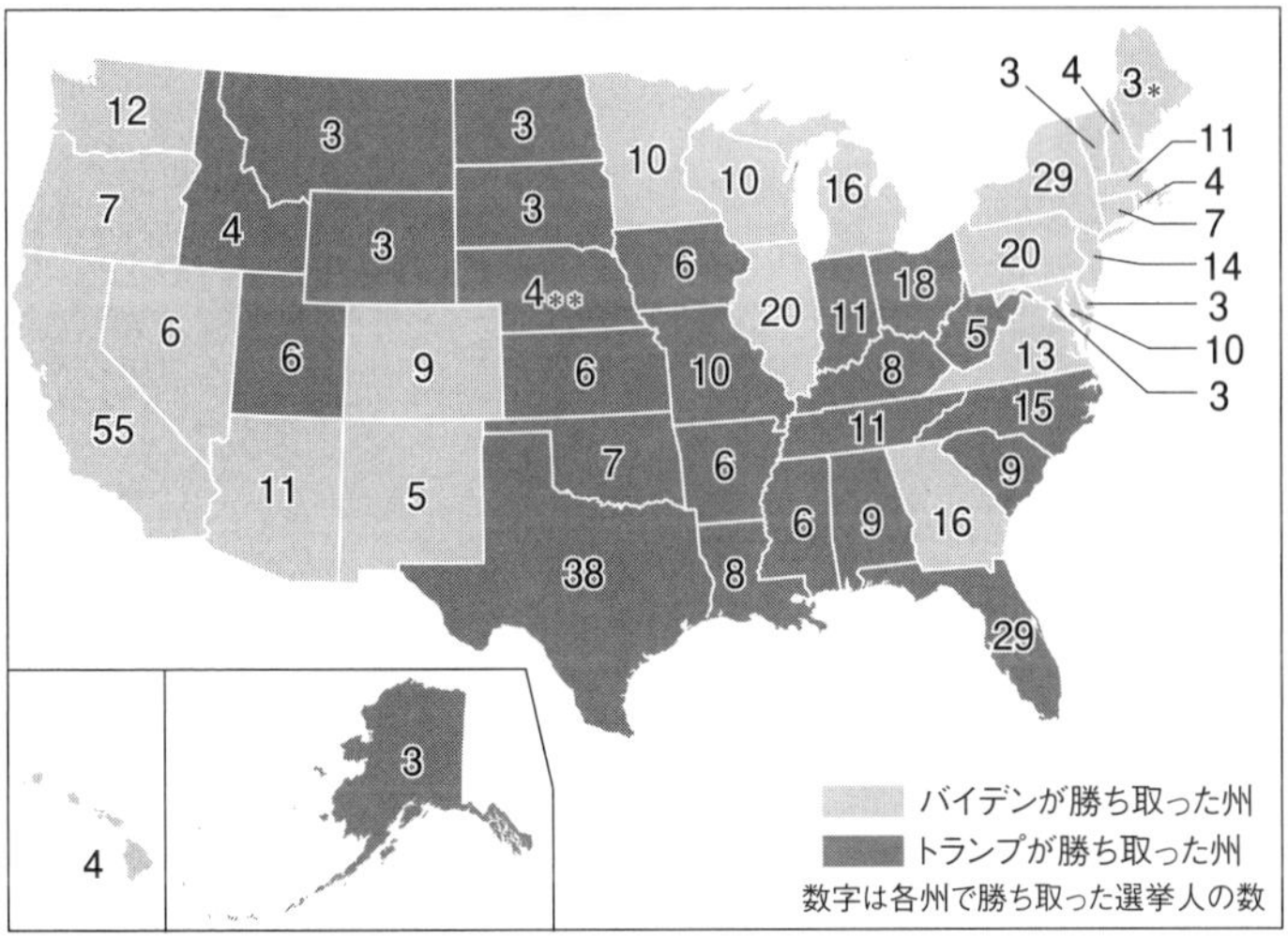

＊メーン州では全4票のうち、バイデンが3票、トランプが1票を獲得。
＊＊ネブラスカ州では全5票のうち、トランプが4票、バイデンが1票を獲得した。

度が上がり、世論との誤差が少ないだろうと思っていました。

確かに、投票日が近づくにつれてトランプの支持率が急上昇しましたが、その前に期日前投票や郵便投票をすませていた人たちが、圧倒的に多かったのです。だから、追い上げられるだろうけれど、わずかの差でバイデンが勝つだろうと予想していました。

アメリカの分断は「固定化」した

――アメリカの分断が進んだといわれていますが、どう思われますか？


トランプの4年間で分断が進んだという見方があるけれども、すでに当選の4年前から分断が進んでいたからこそ、トランプが当選したというほうが正しい見方でしょう。そのトランプが負けたとはいえ、今回の選挙で約7400万票を獲得したのです。バイデンは約8100万票で、ふたりは歴代1位、2位の得票数でした。まさに国民を二分する結果で、分断が「固定化」した4年間だったのではないでしょうか。

トランプのことを「影の政府と戦う英雄」と称える陰謀論が、この4年間で広がりました。「アメリカの政界には影の政府が存在して、政治と主要メディアをコントロールしている。反トランプの連中は児童買春というおぞましい行為をしている。こうした連中と戦っているのがトランプ大統領だ」という主張を展開したのです。ネット掲示板に「Q」を名乗る匿名の投書が発端だったことから「Qアノン」と呼ばれます。「アノン」は「アノニマス（anonymous　匿名）」の略です。荒唐《こうとう》無稽《むけい》な主張ですが、トランプ信者は信じてしまうのです。

一方、民主党は多様性の象徴のような党で、サンダースやウォーレンの左派とバイデン、ハリスの中道派とは、考え方や政策に隔たりがあります。選挙に勝つまでは反トランプでまとまっていましたが、これから内部抗争が起こるかもしれません。

また、同時に行われた連邦議会の上院下院の選挙では、民主党が下院の過半数を押さえたものの、上院では共和党と民主党が50対50で同数となりました。同数で物事が決まらない時は上院の議長がどちらかに1票を投じます。上院議長は副大統領が務めるので、かろうじて民主党が優勢ということになりました。

党内をまとめながら、国民の分断を修復していく、バイデン新大統領の舵取りは決して容易なものではありません。

――トランプ前大統領が、訴訟を起こしてまで、大統領の地位にしがみつこうとしていた理由がよくわかりません。

トランプが大統領職にこだわったのは、アメリカでは1期で終わった大統領は「失敗した大統領」とみなされるというのが、理由のひとつです。でも、トランプには大統領選挙で落選すると困るさらに切実な事情がありました。

米紙ニューヨーク・タイムズが放った大特ダネによれば、トランプは過去10年間連邦所得税をまったく払っておらず、税額控除の手法について内国歳入庁《ないこくさいにゅうちょう》（日本の国税庁に該当）の監査が入って、１億ドル（約１０５億円）の追徴課税を受ける可能性があるのです。そうなれば、破産するかもしれません。

また、トランプは、過去に関係を持った女性に対して、口封じのためにお金を払っていることを認めていますが、お金の出所が選挙運動で集めた政治資金ではないかという疑いをかけられ、訴追されるかもしれないのです。大統領選挙に落選すると、現職の大統領は訴追しないという不逮捕特権を失うので、大統領職にこだわっていたのでしょう。

バイデン政権で何が変わるのか

バイデン大統領になって、アメリカが国際社会に戻って来たといえるでしょう。

これからの4年間は、トランプが壊したさまざまな国際関係や国内の対立を、なんとか修復させようとする期間になるのでしょう（左ページ図表⑤）。ヨーロッパの国々はみんな大喜びですよ。バイデン大統領は、就任後すぐに温室効果ガスの排出削減などを定めた「パリ協定」に復帰しましたから。

日本の菅義偉《よしひで》総理が、所信表明演説で、突然２０５０年までに温室効果ガスの排出量を実質ゼロにすると発表しましたね。あれは、外務省が（次期大統領は）バイデンになりそうですよという情報を伝えたからでしょう。「温室効果ガス実質ゼロ」とは、温室効果ガス排出量を森林や海洋などの吸収分を差し引いて実質ゼロにする、という意味です。

すでにＥＵ（欧州連合）をはじめ世界１２０か国以上の国と地域が「２０５０年実質ゼロ」を目標にしていて、日本も遅ればせながら足並みをそろえたことになります。日本はこれまで２０３０年度に２０１３年度比26％削減、２０

図表⑤―**ジョー・バイデンが公約した主な政策**

経済	雇用の拡充と最低賃金引き上げ。富裕層や企業の税率アップ
外交	国際協調を重視、同盟国との関係を再構築。中国への強硬姿勢緩和
環境・エネルギー	「パリ協定」復帰。2010年までに排出ガス量をゼロに。環境・エネルギーに2兆ドルの投資
教育	家族の年収が12万5000ドル以下の学生は公立大学4年間の授業料を無料に
移民政策	入国制限廃止。不法移民の市民権獲得へ
銃暴力	全米で銃規制を強化
社会保障	オバマケアを拡充。医療保険料や薬価の引き下げ
コロナ対策	感染対策強化。定期的な無料検査の実施、マスクの着用を義務化
黒人政策	人種的な収入格差の是正のため、黒人家庭や企業、起業家への支援
その他	性的マイノリティーの人権を守る法案の制定

50年までに80％削減という目標に留まり、先進国の中で日本だけが遅れていると、海外から批判を受けていたのです。

環境問題に積極的な民主党政権ですから、これからは徹底的に温室効果ガス対策をやるでしょう。日本は、かなりハードルの高い目標を掲げることになりましたが、これをチャンスと捉えて、何をすべきなのか真剣に考えればよいと思います。

日米関係でいえば、駐留米軍の経費増額問題がありますね。トランプ政権の時、正式ではありませんが、内内《うちうち》に大幅な上乗せを要請されていました。もし100％支払えば、駐留米軍は「日本の傭兵」になってしまうことをバイデン大統領は理解しているので、大幅な増額を言ってくることはないでしょう。もう少し増やしてほしい、という要請はあるかもしれませんが。

米中関係については、バイデン大統領になったからといって、よくなることはないでしょう。ただ、これ以上悪くもならないでしょう。たとえば、貿易において、関税をやたらにかけていたのは、少しやわらぐと思います。それにしても、トランプ前大統領がひたすら中国たたきをした結果、アメリカ人はみんな中国が大嫌いになってしまいました。

これを変えることはできないし、民主党は人権問題に敏感です。香港での反政府的な動きを取り締まる「香港国家安全維持法」の施行や、新疆《しんきょう》ウイグル自治区の「再教育施設」

とされている強制収容所などの人権問題について、アメリカと中国の関係は悪化した状態が続くでしょう。

アメリカ国内に目を向ければ、まずコロナ感染を抑えられるかどうかが鍵になります。アメリカでは、感染者も死者数も世界で最も多くなっています。今回の大統領選挙は、トランプの4年間への審判であり、コロナ対策をめぐって、マスクをせずに集会を行うトランプと、マスクをしてオンラインで支持を訴えるバイデンは対照的に映りました。

バイデンはトランプ政権のコロナ対策を失敗と断じて、勝利が確実になると、すぐに感染拡大を抑えるため、マスク着用を全国民に呼びかけました。そして、公衆衛生や感染症の専門家によるコロナ対策チームを立ち上げました。コロナで失業した人たちの雇用を回復し、経済再生できるかが、バイデン政権の最初の試練となるでしょう。

アメリカ合衆国の大統領は、世界のリーダーでもあります。日本にとっては大事な友好国のトップです。君たちはこの授業を踏まえて、2020年以降も大統領選挙に注目してください。

第2章

「二大政党」から見るアメリカ

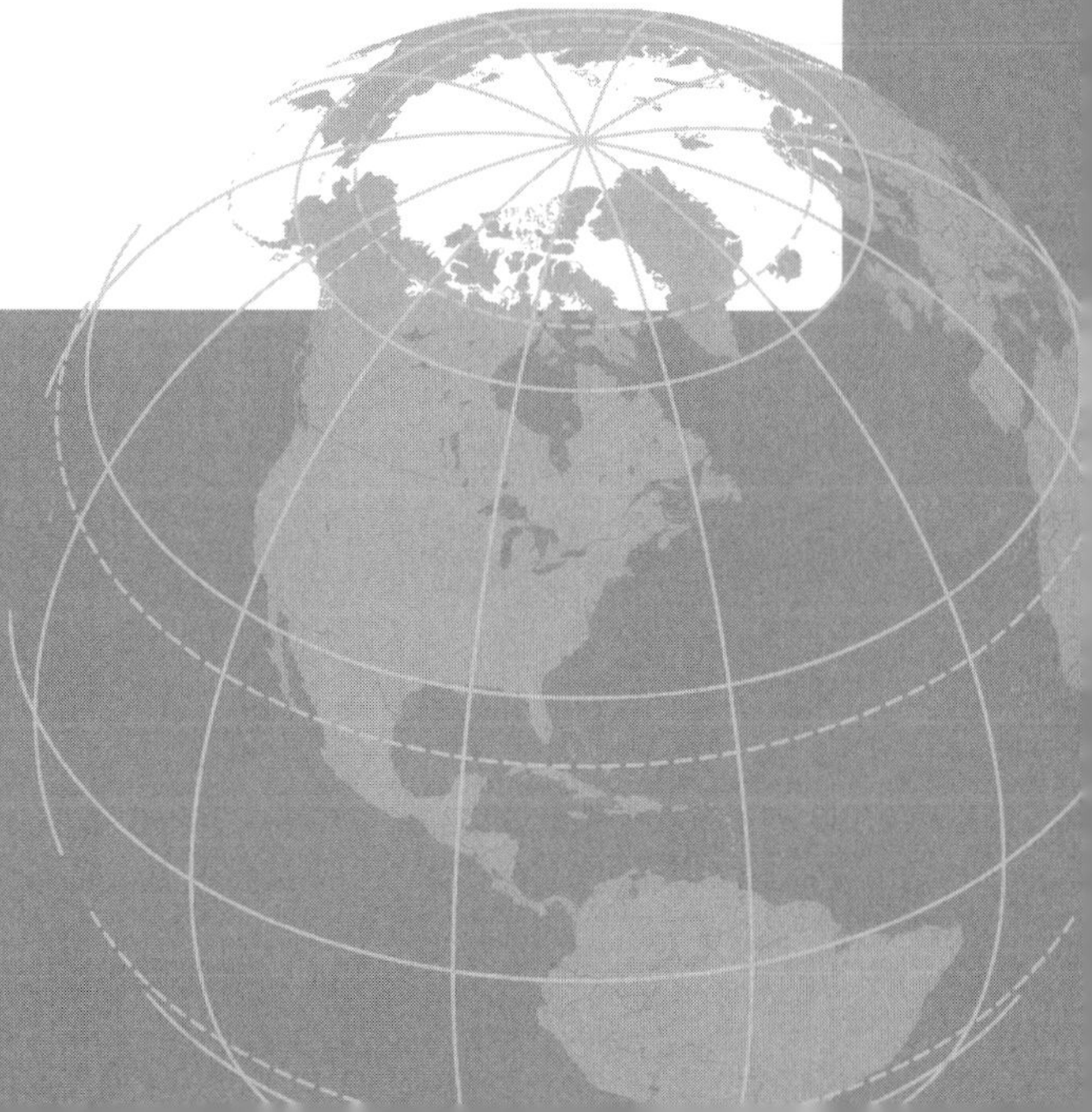

有権者登録の段階で支持政党を記入

第1章で、アメリカでは選挙の際に「有権者登録」が必要だという話をしました。日本では考えられないけど、有権者登録の際に、実は支持政党を書く欄があるのです。共和党、民主党、それ以外、または無党派などのどれかに印をつけるようになっています（州によって形式は異なります）。

民主党に印をつけたら本選挙でも民主党候補に投票しないといけない、というような拘束は受けません。束縛はされないのですが、最初の段階で、支持政党を聞かれる。実質的に二大政党の共和党か民主党かどちらかを選ぶことになります。

――記入した情報が何かに使われたりしないのですか？

いい質問ですね。使われるのですよ、これが（笑）。登録した内容は公開情報です。つまり、誰でも見られるようになっています。登録情報をもとに、たとえば、共和党支持者と民主党支持者の一覧表をつくることができますね。

――えーっ！

政党支持者のリストは、アメリカの選挙運動で「戸別訪問」する際に利用されています。

日本では公職選挙法で戸別訪問が禁じられていますが、アメリカでは戸別訪問が認められています。アメリカだけでなく、イギリス、フランス、ドイツなどヨーロッパ諸国でも戸別訪問が行われていて、選挙運動の有効な方法とされています。

日本では、どうして戸別訪問を禁止しているのですか?

戸別訪問を認めると密室の中で買収行為が起こりやすくなるのではないか、という発想から禁じられたのです。もともと、大正時代に男子普通選挙を導入する時に禁止され、戦後にできた公職選挙法に受け継がれました。1世紀も前に決まった禁止事項が今も残っている。日本でも戸別訪問を解禁したほうがいい、という意見もあるのです。

アメリカの戸別訪問では通常、民主党の運動員は民主党の支持者の家を中心に訪問します。同様に、共和党の運動員は共和党支持者の家を訪ねます。支持者の要望を聞き、党の政策を説明して「ぜひ投票に行ってください」とお願いするわけです。

個人の支持政党を公表するのは、プライバシーの侵害だと思わないのですか?

アメリカでは政治的な主張をすることは当たり前で、公表してもなんの問題もないと大多数の人が思っている、ということだよね。日本とはずいぶん意識が違うでしょう。戸別訪問が一般的なアメリカでは、日本のように選挙カーで候補者の名前を連呼して回る風景は見られません。

君たちは高校3年生だから、もう18歳になって選挙で投票した経験のある人もいるでしょう。アメリカも18歳から選挙権があるので、君たちと同年齢の若者が有権者登録に行って支持政党を記入する。それぞれの政党と政策について知っておく必要があるわけだよね。日本も二大政党制を目指して、１９９０年代、衆議院の選挙方法を変えた歴史があります。日本がお手本にした二大政党制について学んでいきましょう。

共和党と民主党のシンボルマーク

最初にシンボルマークの話をしましょう。図表（左ページ図表⑥）の上のほうに政党のロゴがありますね。応援グッズには、さまざまなロゴが使われていますが、現在の正式なロゴはこれです。民主党は英語で「デモクラティック・パーティ（Democratic Party）」だから頭文字の「D」がロゴになっています。英語の「パーティ」には「宴会、集まり」のほかに「政党、一団」という意味があります。

一方の共和党は「リパブリカン・パーティ（Republican Party）」なのですが、「グランド・オールド・パーティ（Grand Old Party）」ともいうので、短縮した「ＧＯＰ」をロゴにしています。ロゴの最後に小さく党のシンボルマークがついていますね。見えにくいですが、

図表⑥―**民主党・共和党の特徴や傾向**

民主党 Democratic Party		共和党 Republican Party
D	**ロゴ**	GOP
自由主義（リベラル）	**思想**	保守主義
大きな政府	**政策スタンス**	小さな政府
以前は労働組合の支持を得ていたが、最近は黒人やラティーノなど、人種的マイノリティー、都会の高所得者、インテリ層、女性の支持が多い	**支持層**	以前は白人富裕層だったが、最近は低所得の労働者層に変化。大企業、軍事関係、キリスト教右派、また男性の支持が多い
カリフォルニア、ニューヨーク、イリノイ、ワシントンD.C.など東海岸や西海岸の都市部で支持されている	**支持地域（傾向）**	テキサス、アラバマ、カンザス、サウスカロライナ、サウスダコタ、ミシシッピ、ネブラスカなど南部や中西部で支持されている
さまざまな宗教に寛容	**宗教**	キリスト教
青	**イメージカラー**	赤
	シンボルマーク	

図表の最後にあるシンボルマークの「ゾウ」です。共和党は「強くて大きい」イメージのゾウをシンボルマークにしています。

民主党のシンボルマークは面白いんだよね。この動物はなんだかわかりますか？

――ウマ？　いや、ロバですか？

ロバが正解です。ロバは一般的に弱いイメージだよね。なぜロバがシンボルになったかというと、19世紀後半に、共和党をゾウ、民主党をロバにたとえた風刺漫画が週刊誌に掲載され、ゾウに立ち向かう弱いロバを民主党の人たちも面白がって定着したといわれています。

さらにさかのぼって19世紀前半、初の民主党大統領のアンドリュー・ジャクソンが共和党陣営から「愚鈍で強情なロバみたいなやつ」と揶揄《やゆ》されたのを逆手に取り、ロバを自分のポスターに使ったことに由来するとも伝わっています。

いずれにせよ、現代風にいうと自分を弱いロバに見立てるのは「自虐ネタ」だよね。そのせいか、共和党はゾウのマークを公認していますが、民主党は使用を容認しているものの党として公認していません。星の数も共和党は三つと決まっていますが、民主党のロバのほうは星の数がバラバラで確定していないのです。

そんな事情もあって、民主党は２０１０年に、党の頭文字の「Ｄ」のロゴマークをつくって公認しました。でも、長年親しまれてきたロバのシンボルマークは、応援グッズなどに相変わらず使われているのです。

二大政党の政策と支持層

では、本題に入りましょう。二大政党の民主党と共和党がどんな政党なのか、両党の違いについて説明していきましょう。実はトランプが大統領になってから共和党は「トランプ党」になってしまい、変質したところもあるのですが、それについてはあとで話します。

アメリカでは、一般的に民主党が自由主義（リベラル）で、共和党が保守主義といわれています。

ただし、アメリカはヨーロッパ的な専制君主、つまり王様による独裁と決別し、自由を求める人々によって建国された国なので、建国の精神として民主主義が根底に流れています。だから、両党とも根本的な考え方に大きな違いはありません。個人の権利や幸福を守るために「権力からの自由」が大切だという前提に立っています。

共和党は、連邦政府の関与を少なくして各州の自治を尊重します。各州に権限を委ね、自らの関与の割合を少なくした政府のことを「小さな政府」といいます。アメリカ独立以来の精神を守っていこうという考え方ですね。

民主党は、逆に国民に対して政府が支援することを重視する考え方。このような政府を「大きな政府」といいます。景気が悪くなった時に政府がある程度介入して国民の暮らしを守るのは当然だろう、あるいは、社会福祉は個人個人で考えるものではなく、連邦政府主導で仕組みをつくるべきだと考えます。後述しますが、最初から大きな政府を目指してスタートしたわけではなく、大きな政府になってもいいというスタンスです。

それぞれの政党を支持しているのはどんな人たちでしょうか。現在の民主党の支持層は都会のインテリ層・高所得者層や、黒人、アジア系、ラティーノ（中南米系）などのマイノリティーが多いとされ、西海岸や東海岸などに多いのです。

大統領候補者選びの序盤で話題になった民主党のピート・ブティジェッジを覚えていますか？

――はい。自分が同性愛者であることを公表していた人ですね。

そうです。彼はインディアナ州という非常に保守的な州のサウスベンド市という小さな市の市長でした。だいたい、選挙集会で候補者の演説が終わると、奥さんが現れて夫婦仲がいいことを見せつけるわけね。ブティジェッジも演説が終わると必ずハズバンドが来て仲のいいところを見せていました。

それを支持者たちが熱狂して応援しているのを見て、ああ、アメリカって多様だな。大統領候補になろうとする同性愛者のカップルを受け入れられるようになったのだなと思いました。名前が発音しにくくてようやく言えるようになったら、彼は資金が不足して降りてしまいましたが（笑）。のちに、バイデン政権の運輸長官として閣僚入りしました。

民主党は結婚観や宗教観などが進歩的・合理的で自由な立場を取っていて、妊娠中絶や同性愛などに対して寛容な姿勢を示しています。一方、キリスト教右派（保守派）が支持している共和党は、同性結婚や妊娠中絶に反対しています。

現在、アメリカの国民の約4人にひとりがキリスト教右派の福音派で、共和党の重要な支持基盤となっています。アメリカの政治とキリスト教の関係については、既刊の『池上彰の世界の見方　アメリカ』で詳述していますので、参考にしてください。

共和党は「トランプ党」に変わった

共和党の支持層は、大企業や軍事関係、キリスト教右派、保守派白人層といわれていて、中西部や南部の州で強いのです。支持者の白人層は、長らく経営者などの富裕層でしたが、トランプが大統領候補になって以来、低所得の労働者層が激増しています。

――それはなぜですか？

２０１６年の大統領選挙の際、共和党の大統領候補を誰にするかというテレビ討論会で、トランプは無茶苦茶な発言を繰り返しました。ほかの共和党の候補が政策の話をしているのに、一人ひとりの共和党候補にあだ名をつけて呼んだり、下品な言葉で罵ったりしました。差別的なことも平然と言うし、過去に多くの女性と関係したことを自慢げに語った録音テープも出てきました。普通ならこの段階で脱落するのですが、思いがけない支持者たちが現れたのです。

それまで選挙にまったく関心のなかった白人の低所得労働者層が、こいつ面白いじゃないか、大統領選挙に出ようとしているなら応援しよう、となって共和党の集会にどっと押し寄せました。集会で届けを出せば、義務や資格もなく簡単に党員になれます。4年前の選挙の際に、実はこんな共和党員が激増したのです。

彼らは、製造業が衰退した「ラストベルト（Rust Belt／錆びついた工業地帯）」と呼ばれる中西部で働く白人労働者たちでした。「ラストベルト」に含まれるミシガン州やオハイオ州のあたりは、もともと自動車産業や鉄鋼産業、石炭産業が盛んで、それらの労働組合が民主党を強く支持していた地域（左ページ地図①）です。

ところが、グローバル化によって日本や韓国や中国、インドの鉄鋼にやられてしまった、自動車産業もだめになった、石炭もオバマ政権の温暖化対策のために掘らなくなった。それぞれの労働組合がすっかり弱体化してしまい、労働者たちは、民主党より、自分たちの思いを代弁しているトランプに投票しようか、ということになりました。産業構造が変わると支持層にも大きな変化が起こる、ということですね。

それでいえば、南部のテキサスは石油産業で働いている白人労働者が多く、もともと共和党の支持基盤だったのですが、最近ＩＴ産業が進出してきてＩＴ技術者が大量にテキサスに移住しています。その結果、民主党支持者の割合がどんどん高まっています。まだ共和党のほうが多いのですが、テキサスも産業構造が変わることによって

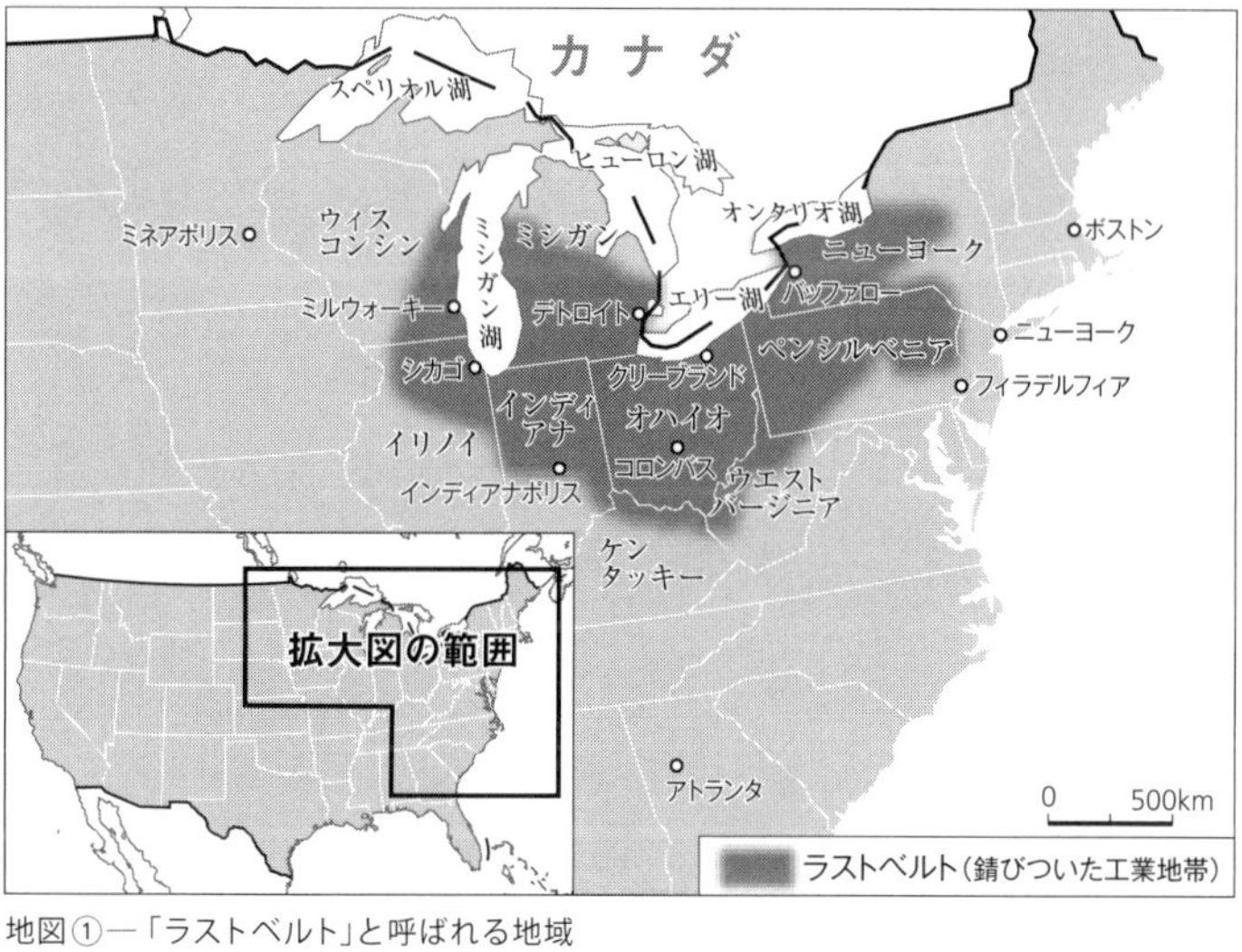

地図①—「ラストベルト」と呼ばれる地域

変化が起きているので注目されています。

分断を引き起こしたＳＮＳのビッグデータ

「共和党」を「トランプ党」に変えてしまったトランプは、そもそも、なぜ前回の選挙で当選できたのか？　アメリカ社会の分断が進んでいた、というだけでは納得がいかない人も多いのではないでしょうか。実は、トランプを大統領に当選させて、今のアメリカの分断を引き起こした要因に、ＳＮＳのビッグデータが深くかかわっていたのです。それはどういうことか？

２０１６年の大統領選挙でトランプ陣営の最高責任者だった政治コンサルタントのスティーブン・バノンはその前年頃、イギリスに本拠を置く「ケンブリッジ・アナリティカ」という会社の前身の代表と親しくなりました。ケンブリッジ・アナリティカは、ケンブリッジ大学とはなんの関係もありません。箔をつけるために名前を使っただけです。

何をする会社かというと、もともとイギリスの諜報機関と協力しながら、アフリカのイスラム過激派を仲間割れさせる工作を行っていました。イスラム過激派の一人ひとりの属性や考え方を分析して、内輪もめを起こすような情報を送り、対立して自滅させるような工作に効果を上げていたのです。

そんな時に、バノンがアメリカからやって来て、こんないいやり方があるのか、試してみたいということになりました。そして、2016年6月にEU離脱をめぐる国民投票を控えていたイギリスで、当時イギリス独立党の党首だったナイジェル・ファラージと協力して、フェイク情報をまき散らし、まんまと離脱派に勝利をもたらしたのです。

「実績」をつくったバノンはケンブリッジ・アナリティカ社とともに、フェイスブックから8000万人以上のビッグデータを購入しました。驚くでしょう？　現在、フェイスブックはこうしたデータを売ったりしませんが、当時は個人情報保護など考えずに売っていたのですね。そして、バノンとこの会社は有権者登録の際に記入した、どの政党を支持しているかというデータを取り寄せて、フェイスブックから買い取ったデータと組み合わせたのです。この章の始めに、有権者登録で登録した内容は公開情報だと述べましたね。

フェイスブックは、収集したビッグデータや個人の属性を使ってビジネスをやろうとしていました。たとえば別々にフェイスブックに登録しても、この人とこの人は同じところに住んでいて名字が同じだから夫婦であるとか、奥さんは宝石店のウェブサイトを頻繁にチェックしているとかの属性を利用し、奥さんの誕生日前になると、夫のフェイスブックに宝石の宣伝を出すわけです。夫は「そういえば妻が誕生日に宝石をプレゼントしてほしいと言っていたな。よし、この中から選ぼう」ということとなる。

属性をビジネスに利用しているわけですが、フェイスブックは、それぞれの人に合った広告を出すというビジネスに特化していました。しかし、バノンは個人情報の属性を政治に応用することを思いついたのです。どうすれば、人々がトランプに投票するか、心理学者を採用して研究させました。

その結果、「怒り」をかき立てるのが効果的だという分析が出ました。共和党支持者が何に「いいね！」を押したのか。「中南米から移民が多く入ってきて困る」というウェブサイトに「いいね！」を押していたら、「国境に壁をつくれ」という政策が響くと判断します。こうしたビッグデータの活用が、トランプ大統領誕生につながったのです。

バノンは、トランプ政権で最初の7か月間、ホワイトハウスの首席戦略官を務めましたが、トランプと反目し、解任されました。２０２０年、メキシコ国境の壁建設のために集めた募金を私的流用したとして逮捕されましたが、保釈されています。

トランプに対抗する「リンカーン・プロジェクト」

トランプが大統領になった時、伝統的な共和党支持者の中には、うんざりして抜けてしまった人たちもいます。トランプが去っても、今の共和党はトランプ支持者に乗っ取られて「トランプ党」になっているのです。２０２０年の連邦下院議員選挙で、陰謀論の「Qアノン」を支持する共和党議員も誕生しました。

トランプ政権では、従来の共和党とは異なる「大きな政府」を容認するような政策が行われてきました。新型コロナウイルスによる景気後退の緩和策として、２０２０年３月に大人ひとりにつき最大１２００ドル（約13万円）を国民に給付したでしょう。その後も現金の給付を行っていますから、大変なばらまきでした。

これは過去の共和党だったらありえないことです。国民の所得が減ったからといって国のお金を使うべきではない、というのが伝統的な共和党の考え方です。

トランプはとにかく大統領選挙のことを最優先に考えていたので、選挙に勝つためだったら過去の共和党の伝統なんて関係ない。景気が悪いなら、みんなにお金をばらまけばいいじゃないか、と思っていたわけです。

また、オバマ大統領がオバマケアという医療制度を実施しようとした時に、国にお金がないので赤字国債を発行しようとしたら、共和党は徹底的に抵抗しました。

ところが、トランプが大統領になったら、赤字国債をどんどん発行しています。それに対して共和党内部でも全然抵抗しませんでした。共和党がすっかりトランプ党になってしまい、共和党の伝統的な保守主義が変わってしまったことを示しています。

――トランプのやり方に失望して共和党を去った人たちが戻ってきて立て直す、ということは考えられないのですか？

いずれそういう動きもあるかもしれません。しかし、2年前の中間選挙で古くからの穏健な共和党の議員たちが落選してしまい、すぐには難しいかもしれません。トランプに共和党を乗っ取られてしまったと怒った共和党員たちが、2019年に、「リンカーン・プロジェクト（The Lincoln Project）」という政治団体を立ち上げました。

本来の共和党の立場からトランプを批判するさまざまな政治広告を出していましたが、実に質が高いのです。たとえば、トランプ大

写真⑥―「リンカーン・プロジェクト」のサイトでは、トランプ大統領が公約するメキシコの壁を、新型コロナウイルスの犠牲者の棺の壁（画面左）にした合成画像を掲げて風刺した｜出典：The Lincoln Project HPより

統領がつくったメキシコとの間の壁が映し出されます。その壁をよく見ると、新型コロナウイルスで死んだ人の棺が並んでいる（右ページ写真⑥）。つまり、トランプは新型コロナウイルス対策にお金を使わないで、メキシコとの間に壁をつくっているぞ、と批判しているわけです。

トランプの再選を阻止するのが目的の団体だったので、解散すると思いますが、洗練された動画が選挙期間中、話題になりました。

二大政党の政策は逆転していた

トランプのやり方はおかしい、と思う本来の共和党支持者たちによるプロジェクトの名称は、奴隷解放宣言で有名なリンカーン大統領に由来しています。ここで質問です。

Qリンカーン大統領は、二大政党のどちらの党に所属していましたか？

――共和党……？

正解です、共和党なんだよね。ちょっと不思議に思いませんか？　現在の共和党は保守派の白人に支持されていて、黒人の多くは民主党を支持しています。でも、奴隷解放宣言を出したのは民主党ではなく共和党の大統領だった。どういうことか？

実は、アメリカの二大政党の歴史を見ると、両党の主張や支持層が現在とはまったく異なっていて、人種差別問題では両党の政策が逆転しているのです。二大政党の歴史を、それぞれ節目になった出来事に注目しながら振り返ってみましょう。

まず、先にできたのは民主党です。できた当初の民主党は、南部の大農園主や西部の小農民層などが支持層でした。19世紀前半、南部は綿花生産などの農業が主な産業で、多くの奴隷を使っていました。そのため「奴隷制度の存続」や、輸出を有利にするために関税を低くする「自由貿易」を望んでいました。

一方の共和党は、北東部の産業資本家などを支持基盤にしていました。北部では商工業が発展し、労働力確保のための「奴隷制度の撤廃」と自国産業保護のために高い関税をかける「保護貿易」を望んでいました。初期は共和党が黒人のために動いていて、民主党は奴隷制の存続を主張していたのです。今とはイメージが逆ですね。

その後、南北戦争（１８６１～６５年）が勃発。戦争中の１８６３年にリンカーンが奴隷解放宣言を出して、戦争は北軍の勝利に終わりました。

戦後、奴隷制は正式に廃止され、黒人有権者は共和党を熱烈に支持しました。北部の地域政党だった共和党は南部にも勢力を伸ばし、全国政党に成長していきます。

民主党は敗戦で壊滅的な打撃を受けましたが、旧大農園主や白人の小農民、産業資本家らとともに、政治権力を次第に取り戻し、南部を民主党の地盤として守ります。また、北部の共和党の間隙《かんげき》を縫って労働者層や移民層に支持を広げていきました。

南北戦争を経て、共和党と民主党は全国政党になり、今日の二大政党制につながっていくのです。

民主党を変えたフランクリン・ローズヴェルト

20世紀に入って1930年代までの約30年間は、主に共和党から大統領が選ばれました。アメリカは大企業中心の経済発展の道を歩みます。しかし、1929年に世界恐慌が起きるとアメリカは未曽有の不況に襲われます。この時の大統領は共和党のハーバート・フーヴァーでした。

共和党は伝統的に市場経済を重視し、政府は経済活動に積極的に介入すべきではない、というのが方針だよね。この考えに基づきフーヴァー政権下では政府は民間経済にほとんど介入しませんでした。結局、経済は回復しなかったため、1932年の大統領選挙では民主党のフランクリン・ローズヴェルトが圧勝します。かつては「ルーズベルト」の表記が一般的でしたが、最近は原語の発音になるべく忠実にしようと、「ローズヴェルト」が教科書などで使われるようになりました。

Q フランクリン・ローズヴェルト大統領の有名な政策をなんといいますか？

――「ニューディール（新規巻き直し）政策」です。

正解ですね。ローズヴェルトは景気回復策を矢継ぎ早に打ち出します。まず金融安定化のために「銀行法」を制定して銀行を救済します。さらに、減反政策によって農産物価格を上げたり、政府の支援によって工業製品の価格を安定させたり、経済に積極的に介入したりしました。テネシー川流域開発公社（ＴＶＡ）に代表されるような公共事業によって失業者を減らしたこともよく知られています。また、労働者に対しては、労働組合をつくって団体交渉する権利を認めました。老齢年金、失業保険などの制度もローズヴェルトの時代にできたものです。

これらの一連のニューディール政策が、民主党の「大きな政府」志向の始まりになったわけです。ローズヴェルトが登場するまで両党のどちらが政権を執っても、連邦政府が経済活動に深く介入することは少なかったのです。しかし、これ以降、連邦政府が経済活動に介入することは当然のようになっていきます。

第1章で、州政府が大統領の権限を牽制して権力を拡大させないようにしていたという話をしましたね。フランクリン・ローズヴェルトは大統領の権力を大きく拡大させた大統領でもあります。

大統領は議会に法案を出すことができなかったよね。ローズヴェルトは法案の原案をつくって議会に示す、という方法で実質的に法案提出権限を持つようになりました。

大統領の権限が拡大するのを、州政府はただ見ていたわけではありません。ローズヴェルトがニューディール政策を次々に打ち出すと、ローズヴェルトのやり方は憲法違反だ、と州政府が次々に裁判に訴えました。いくつかの裁判で、ローズヴェルトは負けています。しかし、世界恐慌後の緊急事態とあって、国民の多くはローズヴェルトを支持しました。

ローズヴェルトは、大統領の直属機関として「大統領府」も設置しました。最初はスタッフの人数なども控えめな組織でしたが、ローズヴェルト以降の大統領のもとで、次々と新しい部署が設けられ、大統領の力を増大させました。

大統領補佐官とか大統領特別補佐官とか聞いたことがあるでしょう。彼らは大統領府のスタッフです。現在では2000人くらいのスタッフが働いています。

ローズヴェルトはアメリカ大統領の中で4選された唯一の大統領でした。大統領は2期までが慣例だったのですが、有事（第二次世界大戦）を理由に1940年、1944年の大統領選に出て当選しました。しかし、戦争の終結を見ずに1945年4月に急死。のちに憲法が改正され、大統領は2期までとなったのです（左ページ図表⑦）。

民主党は人種差別撤廃に方針を変えた

ローズヴェルトのニューディール政策によって、民主党は「リベラルな革新政党」のイメージが定着します。第二次世界大戦中には、多数の南部黒人が職を求めて北部の都市へ移住し、民主党の支持者になりました。

そのため、ローズヴェルトのリベラル路線を引き継いだ民主党のハリー・トルーマン大統領は、黒人を含めたすべてのアメリカ人が「公民権」を得るべきだと主張しました。

Q「公民権」とは、どんな権利でしょう？　普段出てこない言葉だよね。

――国民に与えられている権利、でしょうか。

具体的にはどんな権利のことですか？

――選挙権とか……。

図表⑦—**アメリカの2大政党と歴代大統領（第二次世界大戦以降）**

｜出典：ホワイトハウスHP

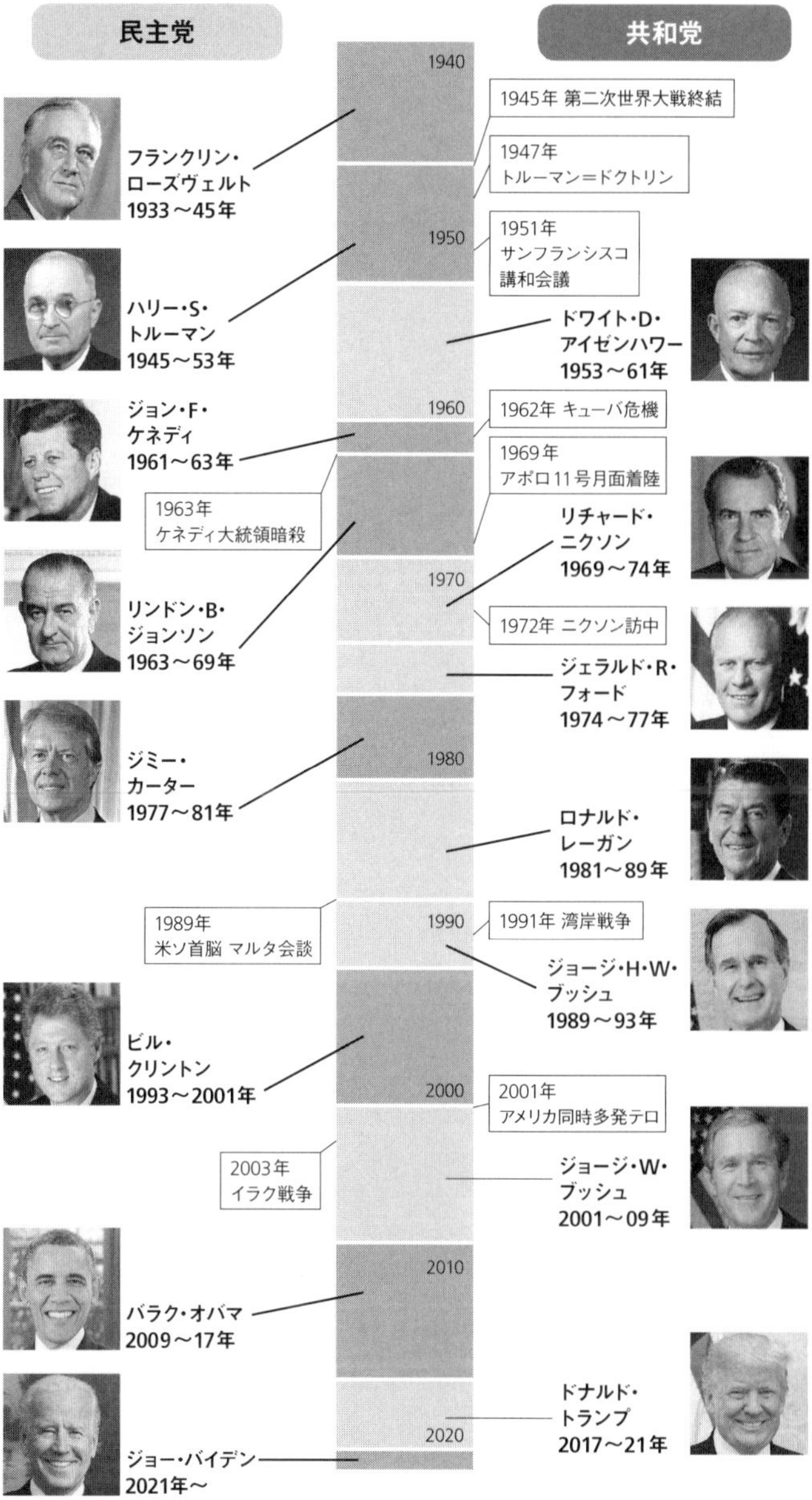
民主党
共和党
1940
1950
1960
1970
1980
1990
2000
2010
2020
1945年 第二次世界大戦終結
1947年
トルーマン＝ドクトリン
1951年
サンフランシスコ
講和会議
1962年 キューバ危機
1963年
ケネディ大統領暗殺
1969年
アポロ11号月面着陸
1972年 ニクソン訪中
1989年
米ソ首脳 マルタ会談
1991年 湾岸戦争
2001年
アメリカ同時多発テロ
2003年
イラク戦争
フランクリン・
ローズヴェルト
1933〜45年
ハリー・S・
トルーマン
1945〜53年
ドワイト・D・
アイゼンハワー
1953〜61年
ジョン・F・
ケネディ
1961〜63年
リンドン・B・
ジョンソン
1963〜69年
リチャード・
ニクソン
1969〜74年
ジェラルド・R・
フォード
1974〜77年
ジミー・
カーター
1977〜81年
ロナルド・
レーガン
1981〜89年
ジョージ・H・W・
ブッシュ
1989〜93年
ビル・
クリントン
1993〜2001年
ジョージ・W・
ブッシュ
2001〜09年
バラク・オバマ
2009〜17年
ドナルド・
トランプ
2017〜21年
ジョー・バイデン
2021年〜

そうですね、日本では一般的に選挙権と被選挙権のことを公民権と呼んでいます。アメリカにおいては、合衆国憲法で規定されていても実質的に黒人に保障されていない権利、あるいは州法で黒人に与えられていない権利を「公民権」と呼びました。選挙権、被選挙権だけでなく、公務員の職に就けることなども含まれます。１９５０年代なかば以降、白人と同等の権利を求める黒人たちが運動を起こし「公民権運動」と呼ばれました。

人種差別撤廃に傾いたトルーマンに、民主党のもともとの支持層だった南部の白人保守層は反発します。しかし、人種差別撤廃の流れは変わりませんでした。

１９６４年には人種や性別、宗教などによる差別を禁じた「公民権法」が制定されます。民主党のジョン・Ｆ・ケネディ大統領が提案し、彼が暗殺されたのちに副大統領から昇格したリンドン・Ｂ・ジョンソン大統領が、その遺志を継いで成立させたのです。１９６０年代の民主党は、積極的に人種差別撤廃に取り組み、大きくリベラル路線に舵をきりました。

共和党が南部の白人保守層を取り込んだ

ずっと民主党を支持してきた南部の白人保守層は、リベラルに傾いた民主党に失望し、離れていきます。１９６４年の大統領選挙の際には、ジョージア州やサウスカロライナ州など南部の5州で、公民権法に真っ向から反対した共和党候補が下院で勝利を収めました。

ここで、共和党が南北戦争以来の方針を180度変えます。黒人の権利を擁護していた共和党が白人保守層を取り込むため、人種差別政策を容認するようになったのです。

もちろん、あからさまに人種差別を認めるとは言いません。「法と秩序の回復」という表現で「民主党が進める人種差別撤廃を止める」というメッセージを送りました。トランプも使っていた言葉です。こうして1960年代以降、南部の白人保守層は民主党より共和党を支持するようになったのです。

まとめてみると、1860年代の南北戦争、1930年代のニューディール政策、1960年代の公民権運動、この三つの出来事が二大政党の転機となって、政策と支持層が変化したことがわかりますね。ここまでで何か質問はありますか？

――共和党の思想は「保守主義」ということですが、どこが「保守」なのですか？

なるほど。図表（p61図表⑥）の民主党の思想が「自由主義」となっているので共和党は自由でないように思えてしまいますが、自由主義が土台にあるのは両党とも同じです。アメリカはそもそも自由主義の国です。1930年代に民主党が革新的な政策を行い、それを支持する人たちが「リベラル」を名乗り、批判する人たちが「保守」と呼ばれるようになったのです。リベラルの反対という位置づけですね。

――「リベラル」の意味がよくわかりません。日本では憲法9条を守れと言っている人たち、みたいなイメージですが……。

リベラルは近代啓蒙思想から生まれた言葉ですが明確な定義はなく、旧来の権威から自由であろうとすることを意味します。政治の世界なら「権力からの自由」、経済なら「規制からの自由」を重視し、改革主義的な立場をとります。保守の反対がリベラルです。

日本でリベラルといえば、自由や多様性を重視する自民党内の穏健派を指すのが一般的でした。池田勇人《はやと》、大平正芳、宮沢喜一といった、派閥でいえば「宏池会《こうちかい》」（現岸田派）に連なる人々です。特に宮沢氏は「権力行使は抑制的でなければいけない」と日頃から言っていました。左翼でもなんでもなく、保守の一角を占めていた人たちです。

東西冷戦時代、日本では「右寄り・保守」の自民党と「左寄り・革新」の社会党、共産党が対立する構造になっていました。政治をめぐって与野党が激突する時、リベラル派は仲介役になったり、接着剤になったりしてきました。

ところが、東西冷戦終結で社会主義勢力が没落します。国内で見れば、かつては自民党とともに「二大政党制」の一翼を担っていた社会党が弱体化。改称した社会民主党は小政党になってしまいました。共産党はあるものの、左翼の大半が消滅しました。「左」の多くがいなくなってしまった。そうすると、中道だったはずのリベラル派が相対的に「左」に位置づけられてしまいます。

また、左翼が極小になると、かつての左寄りの人たちは自らを「リベラル」と称するようになりました。本来、リベラルは個人の自由と権利、多様性を重視する立場ですから、社会主義や共産主義とは立場が異なるのですが、最近は左派とリベラルがごっちゃになってしまいました。

現在の日本では、「憲法9条を守れ」と主張したり、原子力発電所の再稼働に反対したり、沖縄の基地問題に懐疑的だったりする人がリベラルと思われています。また、社会保障の充実を主張し「大きな政府」を求める人もリベラルと呼ばれます。


――銃規制について、共和党と民主党は対立していますよね。どう対立しているのですか?


いい質問ですね。日本人は「銃規制」が銃を禁止することと思いがちですが、そうではありません。アメリカでは銃を持つ権利が憲法で認められています。だからこそ「銃を持つ権利を守らなければならない」と主張しているのが共和党、「銃を持つ権利は守らなければならない。だけどなんの規制もないのはおかしい。連邦レベルで法律をつくりましょう」というのが銃を規制すべきだという民主党の考え方です。

実は、州レベルで銃の規制はあるんですね(p85図表⑧)。たとえばニューヨーク州の場合、拳銃を買おうとしたら、銃を売る店に行って申告書にいろいろ書き込みます。そうすると

「5日間待ってください」と言われます。その5日の間に店からFBIに記入したデータが送られ、過去に銃犯罪をしていないかチェックされ、犯罪歴がなければ売ってもらえる。こういう「規制」があるわけですね。

ニューヨークは州政府の規制があるけれど、テキサスは規制が何もありません。店に行けばその場で購入できます。それは心配だから、ニューヨーク並みの規制をすべきではないか。あるいは銃を持つ権利があっても、自動小銃やライフル銃は自分の身を守るために必要なのか。そんなものまで売るべきではない、というのが銃規制派の主張なのです。よろしいですか？　はい、ほかに質問は？

――二大政党のほかには、有力な政党はひとつもないのですか？

実は、州ごとにたくさんの政党から立候補者が出ています。二大政党以外の党は「第3党」と呼ばれます（p86図表⑨）。第3位の党というわけではなく「その他の党」という意味です。第3党で注目されている「リバタリアン党」という政党があります。

自由絶対主義を掲げ、公権力を極限まで排除しようという立場です。警察と裁判所と軍隊以外のあらゆる役所は廃止すべきだと主張しています。また、子どもがどのような教育を受けるかは親が決めることで、国が決める必要はない。だから、日本の文部科学省に相当する教育省はいらない、学習指導要領もいらない、と言っています。

図表⑧─**各州の銃購入の規制**｜出典：各州の銃規制法による

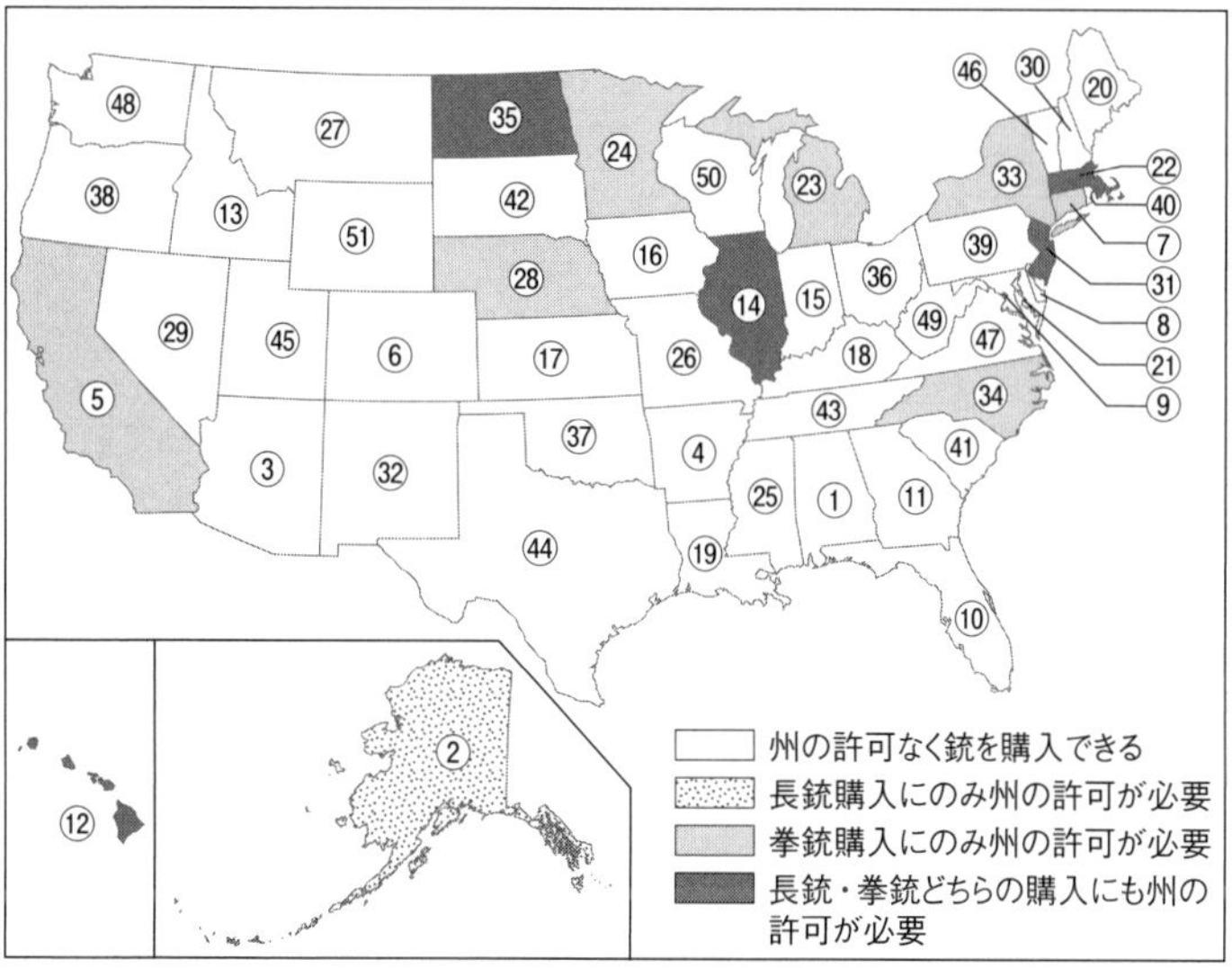

① アラバマ
② アラスカ
③ アリゾナ
④ アーカンソー
⑤ カリフォルニア
⑥ コロラド
⑦ コネティカット
⑧ デラウェア
⑨ ワシントンD.C.
⑩ フロリダ
⑪ ジョージア
⑫ ハワイ
⑬ アイダホ
⑭ イリノイ
⑮ インディアナ
⑯ アイオワ
⑰ カンザス
⑱ ケンタッキー
⑲ ルイジアナ
⑳ メイン
㉑ メリーランド
㉒ マサチューセッツ
㉓ ミシガン
㉔ ミネソタ
㉕ ミシシッピ
㉖ ミズーリ
㉗ モンタナ
㉘ ネブラスカ
㉙ ネバダ
㉚ ニューハンプシャー
㉛ ニュージャージー
㉜ ニューメキシコ
㉝ ニューヨーク
㉞ ノースカロライナ
㉟ ノースダコタ
㊱ オハイオ
㊲ オクラホマ
㊳ オレゴン
㊴ ペンシルベニア
㊵ ロードアイランド
㊶ サウスカロライナ
㊷ サウスダコタ
㊸ テネシー
㊹ テキサス
㊺ ユタ
㊻ バーモント
㊼ バージニア
㊽ ワシントン
㊾ ウエストバージニア
㊿ ウィスコンシン
51 ワイオミング

極端な主張のように思うかもしれませんが、実は「小さな政府」の共和党と考え方が近いのです。リバタリアン党で活動していたけれど、政権を取るために共和党に入るという人もいるくらいです。2016年に有権者登録した党員の人数は全米で約50万人弱です。

二大政党制のメリットとは

Q 二大政党制にはどんなメリットがあると思いますか？

――ふたつの政党で競いながら交互に政治を行うと、腐敗が起きにくい。

――実力のある政党がふたつあると、国民に選択肢があってよいと思います。

両方正解ですね。どちらかの政党が政権を取っ

図表⑨―**アメリカの主な第3党**
｜出典：FEDERAL ELECTIONS 2016: ELECTION RESULTS FOR THE U.S. PRESIDENT

党名	設立年	2016年大統領選挙獲得票数＊
リバタリアン党　Libertarian Party	1971	448万9341
アメリカ緑の党　Green Party of the United States	2001	145万7218
立憲党　Constitution Party	1991	20万3090
社会主義解放党　Party for Socialism and Liberation	2004	7万4401
アメリカデルタ党　American Delta Party	2011	3万3136
アメリカ合衆国改革党 Reform Party of the United States of America	1995	
社会主義労働者党　Socialist Workers Party	1938	1万2467

＊得票数には他の党の支持者などからの投票数も含まれる

てうまくいかなかったら、対立する政党に交代させる。交代することによって、長期政権による腐敗や停滞を生まないというのが利点ですね。ほかには？

――二者択一になるから、有権者が政党の選択をしやすいと思います。

それもあるね。二者択一だから、政策上の争点を明確にしなければならない。有権者が政党の選択をしやすくなります。

二大政党制のいいところは、たとえばどこかの党がやってみてだめだったら次の選挙で今度は野党に政権をやらせてみる。つまりそれがアメリカならば、共和党がだめだったら民主党にやらせてみるし、民主党がだめだったら、共和党にやらせてみる。だめならば次は変えられるというのが、二大政党制の最大のメリットです。

二大政党制の国といえば、イギリスとアメリカがすぐ浮かぶでしょう。19世紀の中頃からずっと、二大政党による政権交代を繰り返しながら現在に至っています。

イギリスを例にすれば、労働党と保守党が交互に政権交代してきました。第二次世界大戦の時は保守党のチャーチルが首相でした。でも戦争が終わった途端、保守党は負け、アトリーによる労働党政権に代わります。イギリス人はすごくはっきりしていますね。戦争の時は、戦争の指導者として優れているチャーチルの保守党を選んでいたけど、終戦したら次は福祉だと、今度は労働党を選ぶわけ。そしてアトリーの労働党によって、イギリスは徹底した福祉国家に変わっていくのです。

日本も長らく自民党が圧倒的な強い力を持っていましたが、イギリスやアメリカのような二大政党制にしたい、と考えて衆議院を1996年の選挙から「小選挙区比例代表並立制」という現在の選挙方法にしました。どんな投票方法ですか?

――**小選挙区では候補者個人の名前を、比例代表では政党名を書いて、2票投票します。**

そうだね。衆議院はもともと「中選挙区制」でした。ひとつの選挙区から複数人(原則として3〜5人)が当選する方法です。それをあえてひとつの選挙区からひとりしか当選できない「小選挙区制」にしたのです。小選挙区制は二大政党制になりやすく、政権交代が起きやすいと考えられています。

――**なぜ「比例代表制」も並行して実施しているのですか?**

比例代表制は、得票数に比例して、小さな政党でも議席が得られるようにしているのです。全部小選挙区にすると、ひとりしか当選できないから、対立候補に得票した票は、すべて「死票(死に票ともいう)」になってしまうよね。それでは、必ずしも国民の声を政治に反映していないだろう、ということで小選挙区選挙と比例代表選挙の両方を行っているのです。

イギリスの場合、直接選挙で選ばれる下院は、小選挙区選挙のみです。死票が出てもかまわない、とにかく選挙区で勝ったほうが当選する、それによって政権交代しやすくするという考え方です。アメリカ大統領選挙の「勝者総取り」ルールもこれに近いですね。日本はイギリスやアメリカより緩やかな選挙方法ですが、小選挙区制を取り入れたら、政権交代が実現しました。２００９（平成21）年の衆議院議員選挙で、野党だった民主党が勝って民主党政権が誕生したのです。

当時、民主党の党首は鳩山由紀夫、自民党の党首は麻生太郎で麻生内閣でした。民主党に投票すれば鳩山由紀夫が総理大臣になる、自民党に投票すれば引き続き麻生太郎が総理大臣になるという時に、国民は民主党を選びました。この時、実は二大政党制が実現したんだよね。国民が総理大臣を選べる状態になっていたわけです。

そして、民主党にやらせてみたらうまくいかなかったので、２０１２（平成24）年の衆議院議員選挙では自民党が政権を奪還しました。今度は民主党の野田佳彦か自民党の安倍晋三のどちらを選ぶか、という選挙でした。その結果、第二次安倍内閣ができたよね。

だから、日本でも与野党ふたつの政党の力が拮抗していれば、実質的に私たちが総理大臣を選べる仕組みになっているのです。二大政党制なら、国民が行政のトップである大統領や首相を選べるというメリットがあるわけです。

二者択一のデメリット

では、二大政党制のデメリットはなんだろう。思いつく人はいますか？

――**第1章で、大統領選挙の投票用紙の写真を見て、大統領・副大統領だけでなく、州の教育委員とか警察本部長とかたくさん投票するのに驚きました。もし全部共和党、あるいは全部民主党の人が当選したら、一党支配みたいになってしまうのでしょうか。それは危険だと思います。**

なるほど。アメリカのように、大統領から地域の保安官まで徹底的にすべて民主党か共和党か全部選挙で選ぼうとすると、どちらか一方に偏った体制になってしまうかもしれません。第4章で説明しますが、連邦最高裁判所の裁判官の任命をめぐって両党が対立しましたね。

あるいは、選挙が近づくと警察本部長が自分の成績を上げようとして、未解決事件を早く解決しろと部下に圧力をかけるかもしれない。急かされることによって冤罪《えんざい》を引き起こす危険性が生じます。ほかにはどうでしょう？

――**二択で選ばなければならないので、国民の意思を二分してしまうかもしれません。それと**

少数政党の意見は切り捨てられてしまいます。

いい視点ですね。二択といえば、コロナウイルスの拡大が止まらないアメリカでは、マスクをするかしないかで支持政党がわかってしまうような事態になっています。

民主党の支持者はマスクをしている率がとても高いのです。比較的インテリが多く、ウイルスを飛散させないように、あるいは感染しないようにマスクをしています。マスクをしていない人はまず間違いなく共和党なんだよね。共和党の支持者でもマスクをする人はいるけれど、していない人は共和党です（笑）。

ドイツでもメルケル首相のもとで、みんなマスクをしていましたが、最近、マスクをしない自由を認めるべきだと言って、マスクをしない人たちが大規模なデモをやっています。デモの参加者は極右の人たちです。極右の立場からすれば、国が何かを決めるのは非常に社会主義的な発想だ、一人ひとりの自由を認めるべきだ、だから国から言われてマスクをするのは嫌だ、というわけです。

マスクをするかどうかは公衆衛生上の判断なのに、右派か左派かの政治的な焦点になってしまっているのです。

――二大政党制からは少しずれますが、今、日本は総理大臣を国民投票で選べませんが、選べるようにしたほうがいいと思われますか？

首相公選制にするべきか、という話だね。総理大臣を国民の選挙で選ぶべきだ、と言った元総理大臣がふたりいます。中曽根康弘と小泉純一郎です。ふたりとも、総理大臣になる前は「総理を公選すべきだ」と言っていたのですが、現行の制度で総理大臣になったら言わなくなりました（笑）。なぜ総理公選制を唱えたかというと、「自分は国民の間では人気があるけれども、自民党内では党の総裁になるほどの支持がない」と思っていたからでしょう。

総理大臣を国民が直接選挙で選ぶ、というのはひとつのやり方としてはあるでしょう。けれども、国会の与党ではない人が総理大臣に選ばれると、総理と与党が対立して物事が決まらない、進まない、という可能性があるよね。

イスラエルが、以前に首相公選制にしたことがあります。イスラエルは日本と同じ議院内閣制だったのですが、首相を選挙で選ぶことにしました。そうしたら、首相と議会がさまざまなところで対立してうまくいかず、結局元に戻しました。

国民が直接選挙で選ぶのがいい、という考え方はあるけど、混乱が起きる可能性がある、ということですね。さらに、一時の人気だけで選ばれてしまうと、それこそトランプのような人が日本の総理大臣になる危険性もある、ということだと思います。

第3章
黒人差別から見るアメリカ

ブラック・ライブズ・マター運動の陰に銃社会の恐怖

これから黒人差別の話をします。最初に、黒人への暴力と差別に抗議する「ブラック・ライブズ・マター（＝黒人の命も大切だ）」運動がアメリカ全土、さらに世界へ広がったのはなぜか、理由を考えていきましょう。

まずは事件のいきさつから。２０２０年5月、ミネソタ州ミネアポリスの日用品店で黒人男性が20ドルの偽札を使った疑いで捕まります。黒人男性は手錠を掛けられた状態でうつぶせに倒され、白人警察官が首を膝で強く押さえつけました。黒人男性の「息ができない」という必死の訴えにもかかわらず、白人警官は9分近く押さえ続け、黒人男性は死亡してしまいました。

全米の警察が絡んだ殺害事件や事故を記録するマッピング・ポリス・バイオレンスという統計によると、２０１９年に、警官による武力行使で殺された人は１０９６人で、そのうち白人が４４３人、黒人は２７７人でした。ですが、アメリカの人口全体に占める黒人の割合は13％にすぎません。いかに黒人が殺されているかがわかります（左ページ図表⑩）。

以前から、白人警察官の過剰な暴力で黒人が死亡するケースは、繰り返されてきました。

図表⑩—アメリカ警察の武力行使による死亡事故

●アメリカで警察官の武力によって死亡した人数と、その人種内訳（2013〜19年）

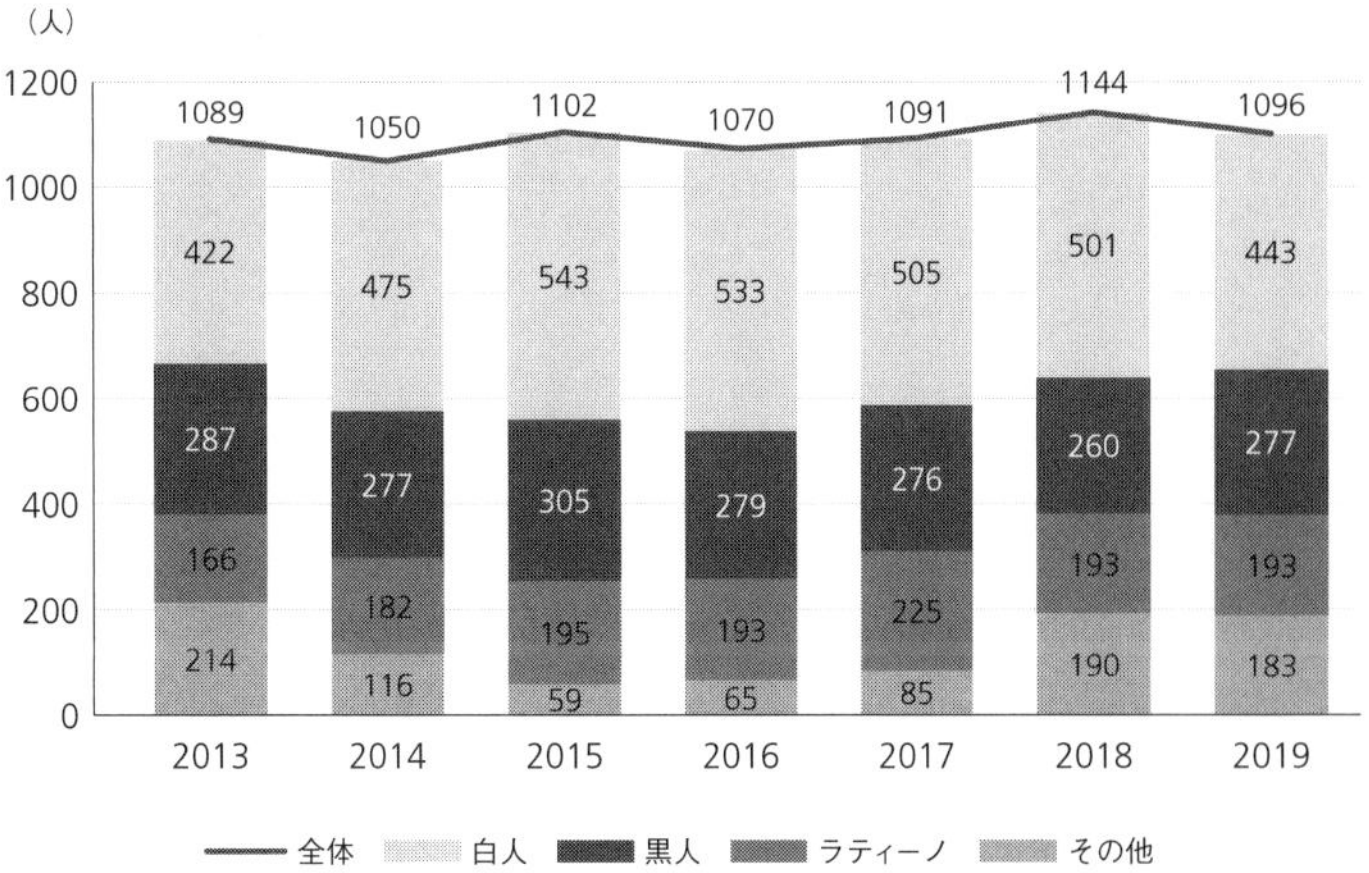

●警察官の武力行使による死亡事故の実態（全米）

警察官による殺害で起訴された事案	1.7%（98.3%が不起訴）
人種別の警察官に殺害される割合 （人種の人口100万人あたり）	白人2.5人、ラティーノ3.8人、黒人6.6人
アメリカ黒人青年の主な死因	1位 事故死、2位 自殺、3位 他殺、 4位 心臓病、5位 がん、6位 警官の武力
2020年、アメリカ全土で 警察官による殺害がなかった日	18日（366日中）
各国の警察官による武力で死亡する割合 （人口1000万人あたり）	アメリカ33.5人、カナダ9.8人、 オーストラリア8.5人、オランダ2.3人、 ドイツ1.3人、日本0.2人

出典：MAPPING POLICE VIOLENCE, Institute for Social Researchのデータをもとに編集部が構成

有名なのは「ロサンゼルス暴動」と呼ばれる暴動の発端となった事件です。

１９９1年、ロサンゼルス市警察の白人警官たちがスピード違反容疑のある黒人男性を集団で激しく暴行する様子が偶然撮影されていました。翌年に警察官に無罪評決が出たため、ロサンゼルスなどで暴動が起きて略奪行為に発展。50人以上の死者を出し、連邦軍も出動する騒動となりました。

最近でも２０１２年にフロリダ州、２０１４年にニューヨーク市やミズーリ州で、黒人が白人の自警団員や警察官に殺害される事件が起きていて、そのたびに黒人への暴力が問題になってきました。それに伴い、この頃からブラック・ライブズ・マター運動が全米に広がっていきました。

どうしてこんなことが繰り返されるのか？　そもそも白人警察官の黒人に対する差別意識が非常に強い、ということがあります。その理由は、奴隷制時代にさかのぼる長い歴史が関係しているので、あとで話しましょう。そして、もうひとつの理由はアメリカが「銃社会」だからです。

実は、白人警察官も命がけなのです。ちょっと職務質問する時にも、相手が銃を持っていていきなり撃ってくるかもしれない。銃への恐怖心を常に抱いているわけです。いつも銃に手をかけながら身構えていなければなりません。

米紙ワシントン・ポストが全米各地の警察の公開記録などに基づいて集計した統計によると、黒人は白人の2倍以上の確率で警官に撃たれています。

黒人の親は子どもに「手をポケットに入れるな」「外でおもちゃの銃で遊ぶな」などと教えるのだそうです。理由は、警官に撃たれる可能性があるから。実際に撃たれた例があるので、安全を守るために事細かく注意するのです。

私は、最初にアメリカへ行った時に、懐《ふところ》に無造作に手を入れてパスポートなどを出してはいけないと教わりました。職務質問などを受けて懐に手を入れると「こいつは銃を出すんじゃないか」と有無を言わさずに撃たれる恐れがあるというのです。銃社会のアメリカでは、大人も子どもも常に神経をとがらせて暮らしているのだと実感しました。

「ブラック・ライブズ・マター」に対して、「ブルー・ライブズ・マター（Blue lives matter）」という言葉も生まれました。青い制服の色から「警察官の命も大切だ」という意味です。抗議デモに乗じた略奪や破壊行為が起きて警官隊とぶつかり、白人警察官にもけが人が出ています。ほかにも、「ホワイト・ライブズ・マター（White lives matter）」「オール・ライブズ・マター（All lives matter）」といった言葉も生まれました。「ブルー・ライブズ・マター」や「オール・ライブズ・マター」は、一見するともっともな意見に聞こえますが、これらは「ブラック・ライブズ・マター」に反対する人たちが反撃の意味で使っています。そのためアメリカでこれらの言葉を口にすると、人種差別主義者と思われてしまうかもしれません。

Q SNSで事件が「見える化」したブラック・ライブズ・マター運動が短期間でアメリカ全土へ、さらに世界へ広がったのはなぜでしょう？

——みんなスマホ（スマートフォン）を持つようになって、映像が拡散されやすいから。

そうですね。事件があると誰かが撮影してすぐにネットにあげるでしょう。「事件が見える化」したのです。今回のミネアポリスの事件も、通行人が事件の一部始終を撮影し、フェイスブックに動画をアップして一気にSNSで拡散されました。

SNSがない時代には、警官が黒人を射殺したあとに「抵抗したから撃った、私は正当防衛だ」と言えば現場の警察官を信用するしかありませんでした。それが今では証拠映像を誰かが撮っている確率が高い。映像を見て「黒人が言ってきたことは本当だったのだ」と多くの人が衝撃を受けたのでしょう。

ブラック・ライブズ・マター運動は、黒人だけでなく、白人やアジア人など人種横断的に広がりました。人種差別を他人事ではなく、自分のこととして捉える人々が多かったので、世界各地での抗議デモに発展したのです。日本でも東京や大阪でデモが行われましたね。では、ここで質問です。

Q 差別反対運動の影響で、欧米各地から消えたものはなんでしょう？

――銅像です。南軍の将軍とか、大儲けした奴隷商人とかの……。

正解です。ニュースでさまざまな銅像が倒されたり、海へ投げ込まれたりする映像が流れたから、みんなよく知っているね。

アメリカでは、南北戦争で奴隷制度を守ろうとした南軍の英雄の銅像が次々と撤去されました。バージニア州では南部連合の指導者だったジェファーソン・デービスの像が倒されました。南軍を率いて戦ったロバート・リー将軍の銅像は南部の各地にありますが、いくつかの像が撤去されています。

さらに、初代アメリカ大統領のジョージ・ワシントンや、独立宣言を起草し第3代アメリカ大統領になったトマス・ジェファーソンも奴隷を所有していたことから、オレゴン州にある銅像が倒されました。

アメリカでの動きはヨーロッパにも広がりました。19世紀の終わりに現在のコンゴ民主共和国を植民地にしていたベルギー国王、レオポルド2世の像が各地で破壊されています。植民地の人たちを大勢虐待したといわれていて、それを問題にされたのです。イギリス南西部のブリストルでも奴隷商人の銅像が引きずり下ろされ海に投げ入れられました。

さて、君たちは、こうした動きをどう思いますか？

――黒人たちが銅像を見て不快に思うなら、撤去したほうがいいと思います。

――銅像があることで、負の歴史を学べる効果もあると思います。なくしてしまうと、歴史的事実を消してしまうことになりませんか？

賛否両論出ましたね。まさに欧米でも賛成、反対のどちらの意見も出ています。「黒人差別は根深い問題」といわれますが、その根っこはどこにあるのでしょう？　黒人差別がなぜ今も根強く続いているのか、歴史を振り返ってみましょう。

アメリカ合衆国における黒人奴隷制の始まり

1619年、オランダ船がアフリカから20人の黒人をバージニア入植地のジェームズタウンに「運んで」きました。この頃から、黒人がアフリカから「運び込まれる」ようになるのです。

彼らはアフリカのどこから来たのか？　現在のアフリカでいえば西海岸のギニア、シエラレオネ、リベリア、コートジボワール、ガーナ、トーゴ、ベナン、ナイジェリアのあたりです。

日本から遠くて、一般的になじみのない国々だよね。当時、アフリカでは部族間で戦争をしていて、沿岸地帯の部族が内陸の部族を襲って捕まえ、ヨーロッパの商人に売り渡していました。そして、ヨーロッパの商人が奴隷としてアメリカに連れてきたのです。

黒人奴隷貿易は、15世紀半ばにポルトガルによって開始され、続いてスペイン、オランダ、イギリスが参入しました。この奴隷貿易は、最初は奴隷をヨーロッパに送っていましたが、やがてヨーロッパから武器や雑貨などをアフリカに送り、それと引き換えに得た黒人たち（奴隷）をアメリカ大陸・西インド諸島に送り込んで、そこから砂糖・綿花・タバコ・コーヒーなどの農産物をヨーロッパに持ち帰って売りさばくという「三角貿易」の一環として行われるようになりました。

黒人たちは、狭い船内に詰め込まれ、「運ばれる」途中で死んでしまい、目的地までたどり着けなかった人も多かったのです。生きてアメリカに上陸できたのは、10人中5〜6人という低い割合でした。それでも、15世紀からの400年間にアフリカから船に乗せられた奴隷の数は、1000万人とも1500万人ともいわれています。

Q アメリカへ連れてこられた黒人たちは、主にどんな仕事をさせられていましたか？

——プランテーションという大農園で働かされていました。

そうだね。プランテーションというのは、広大な農地に輸出用の単一作物を大量に栽培する大規模農園のことで、多数の人手が必要でした。そこで、黒人奴隷が労働力として使われたのです。

産業革命によって、大量の綿花を短時間で木綿にすることができるようになると、大農場では綿花の栽培が中心になりました。南部の暑い気候の中、黒人奴隷が従事させられた綿花の摘み取りはつらい仕事でした。

プランテーションでは、奴隷を最大限に働かせるために日常的に暴力が振るわれ、衣食住のコストは最小限に抑えられました。黒人奴隷の家族はバラバラに売られ、分断されていました。当時の黒人奴隷は、ものか家畜のように扱われていたのです。

黒人奴隷たちの抵抗の中で最も多かったのが「逃亡」です。逃亡した奴隷を追跡して捕まえるのは逃亡したプランテーションの農場主はもちろん、白人警察官の仕事でもありました。特に南部において、警察はその後もずっと黒人を抑圧し続けることになるのです。

合衆国憲法は黒人差別を前提に制定された

アメリカの憲法は、そもそも黒人差別を前提として制定されたことを知っていますか？　１７８７年に成立した憲法の第１章第２条第３項には、こう書かれています。

「各州の人口は、（中略）自由人の総数に、自由人以外のすべての者の数の五分の三を加えたものとする」（アメリカンセンターＪＡＰＡＮの訳による）。

注目すべきは「自由人」と「自由人以外」という言葉です。聞いたことのない表現でしょう？

――「自由人」は白人、「自由人以外」は黒人奴隷のことですか。

おおむね白人、黒人なのですが、逆の言い方をすれば「自由人」は奴隷ではない人のことです。自由人はひとり、ふたりと数えるのに、奴隷は5分の3人と数えると憲法に明記されているのです。

――5分の3人って、半端な数字ですね。なぜ、そんなふうに決めたのですか？

憲法制定当時のアメリカでは、選挙権は白人にしかありませんでしたが、白人の数だけでは黒人奴隷の多く住む南部に割り当てられる下院議員の数が少なくなってしまうので、南部の州が黒人奴隷も算入するように求めたといわれています。しかし北部にしてみれば、南部は奴隷を人として扱っていないのに、それはおかしいだろうと主張しました。その議論の妥協点が5分の3人ということだったのです。

アメリカの憲法は、改正されると、それまでの条文を残したまま、あとから修正条項が表記されます。この条文は、修正第14条で改正され、現在の憲法では無効になっていますが、かつてアメリカ合衆国は、奴隷制を前提にして建国されたことを示しています。

さらに、1776年の「独立宣言」に書かれている文章にも注目してみましょう。

「われわれは、以下の事実を自明のことと信じる。すなわち、すべての人間は生まれながらにして平等であり、その創造主によって、生命、自由、および幸福の追求を含む不可侵の権利を与えられているということ」（アメリカンセンターJAPAN訳）

すべての人間は生まれながらにして平等、と謳《うた》い上げていますが、「すべての人間」に黒人奴隷は含まれていませんでした。当時、黒人奴隷は家畜や家財道具と同等のもので、持ち主の財産と考えられていたのです。

「独立宣言」を起草したトマス・ジェファーソン自身も数百人の奴隷を所有していました。自分が所有する黒人奴隷の女性との間に生まれた子どもは解放しましたが、それ以外の奴隷を解放することはありませんでした。

アメリカ建国の父ジョージ・ワシントンですら、黒人奴隷を所有していました。ただしワシントンは遺言で自分の奴隷を解放するように言い残しています。

南北戦争の死者は2度の世界大戦より多い

アメリカの北部は、気候が涼しくてヨーロッパとあまり変わらないため、南部のようなプランテーションは発展しませんでした。家族経営が基本の小規模農業がほとんどなので、黒人奴隷を必要としなかったのです。

独立戦争を経て、人権意識が高まると、黒人奴隷がほとんどいなかった北部を中心に、奴隷制度反対の意識が芽生えます。さらに、産業革命を経て工業化が進むと「自由な労働者」による資本主義経済が発達し、１８５４年には奴隷制度の拡大に反対する共和党が結成されました。

現在では民主党には黒人やマイノリティーの人権を重視した「リベラル派」が多く、共和党に「保守派」が多いよね。でも、第2章で話したように、もとは奴隷制度を擁護する民主党と、奴隷制度を否定する共和党という色分けだったのです。

北部で民主主義や人権の意識が高まると、ひとつの国家の中で奴隷制度を認めることに反発を持つ人が増えていきました。「工業・自由労働者の北部」対「農業・奴隷制度の南部」の対立が強まります。

1860年、共和党のエイブラハム・リンカーンが大統領に当選すると、奴隷制度が廃止されることを恐れた南部の州が、アメリカ合衆国からの離脱を図ります。

南部の州とは、サウスカロライナ、ミシシッピ、フロリダ、アラバマ、ジョージア、ルイジアナ、テキサスの7州で、翌年には通称「南部連合」を結成し、奴隷制度を認める憲法を制定します（のちに、ほかの四つの州も合流）。南部連合の軍隊が連邦政府の要塞を攻撃し、南北戦争が始まりました（地図②）。

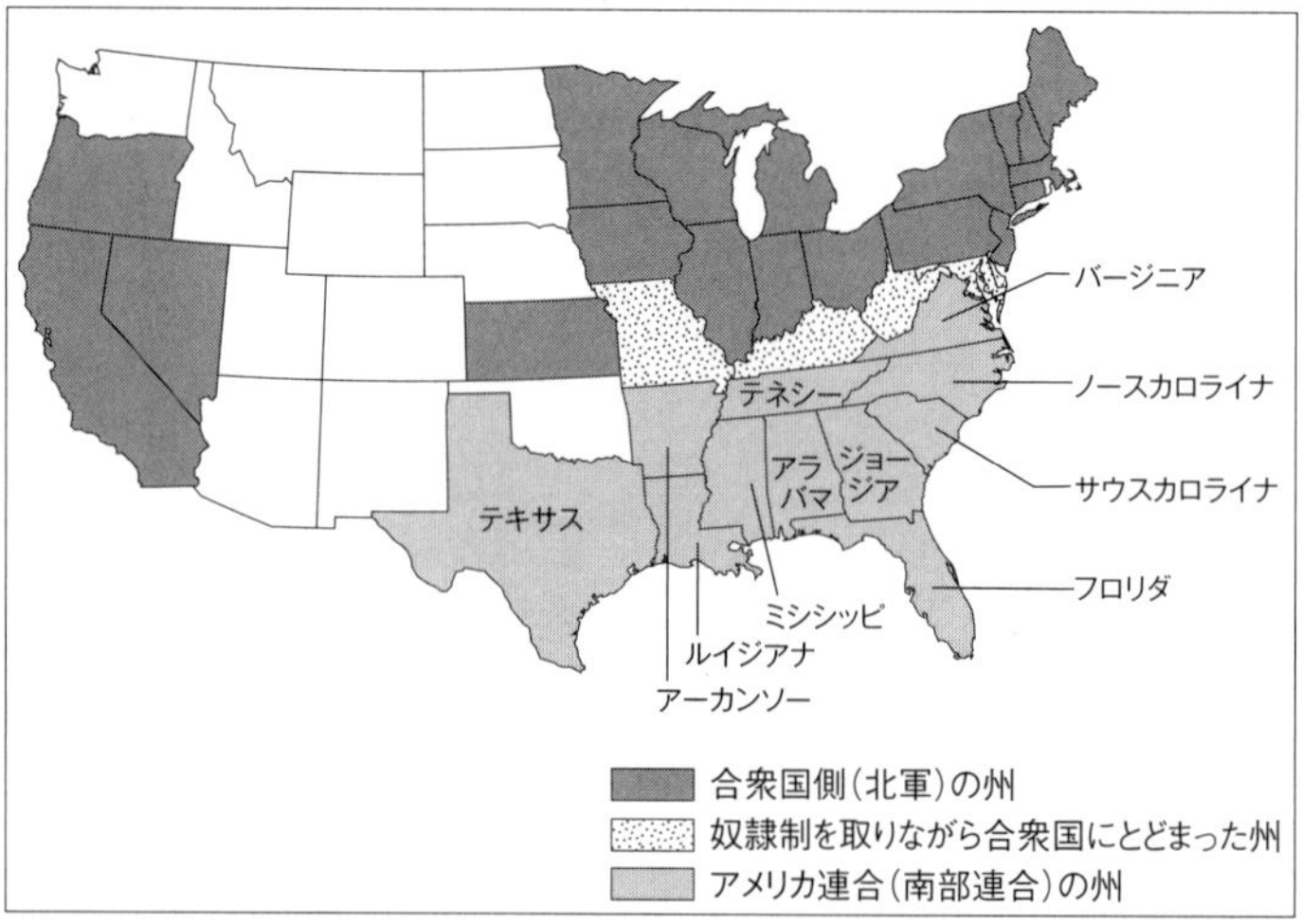

地図②—南北戦争勢力図

Q 南北戦争の戦死者は第二次世界大戦の戦死者より多いでしょうか、少ないでしょうか?

——兵器が強力になった第二次世界大戦のほうが、やはり多いと思います。

実はアメリカ国民の戦死者は、南北戦争のほうが多いのです。4年に及んだ南北戦争の参戦者は300万人を超え、戦死者は南北合わせて約62万人となりました。第一次世界大戦の米軍の戦死者は約12万人、第二次世界大戦では約32万人です。

北部の人口や工業力は南部にはるかに勝っていましたが、北軍は都市生活者や農民、移民などの寄せ集めの兵士でした。一方、南部の農園主の子弟には陸軍士官学校を出て軍人になった者が多く、彼らが南部に戻り指揮官となって戦いました。

名将として名高い南軍のリー将軍は、リンカーンが北軍の司令官に招こうとした軍人ですが、南部のバージニア出身であることから、南軍の司令官を選びました。また、南軍はみずからの立場を守るという点で士気が高く、日常的に馬を使っていたことも兵士の質につながったといわれます。

この戦争ではガトリング砲、手りゅう弾、地雷や水雷、装甲艦や潜水艦などの新兵器が使われ、工業力に勝る北軍が勝利を収めます。

「奴隷解放宣言」は戦術だった

Qリンカーンは戦争に勝利して「奴隷解放宣言」を出したのでしょうか？

――第2章の授業で、戦争の最中に出したと聞きました。

よく覚えていましたね。奴隷解放宣言が出たのは、南北戦争の最中の１８６３年です。なぜ戦争中に宣言したのか？　これは南軍を弱体化させるための戦術でもあったのです。リンカーンの奴隷解放宣言には、「適切な健康状態にある者は、合衆国軍隊に受け入れられる」という内容が含まれていました。合衆国軍隊とは北軍のことです。つまり、南部に住む黒人奴隷が北軍の味方をするように仕向けたわけです。

その結果、約20万人の黒人奴隷が南部を離れ、北軍兵士として戦いました。勝てば奴隷制度がなくなるからです。

リンカーンは、奴隷制度廃止を主張して共和党の大統領になりましたが、奴隷解放に熱心だったかについては疑問が残ります。南部の州が連邦離脱を表明すると、連邦に戻るなら奴隷制を維持するとも発言しています。アメリカ合衆国がふたつの国に分裂さえしなければ、奴隷制度は廃止でも存続でもかまわないと考えていたのです。

しかし、共和党の主流が奴隷制度廃止論者であったことや、南部の黒人たちを味方につける必要があったので、南北戦争の最中に奴隷制度の廃止を宣言したのです。正確にいうと、合衆国を脱退した州、つまり南部連合での奴隷制度を廃止しました。

この宣言によって、北軍の戦争の目的は連邦の分裂の阻止だけではなく、奴隷解放という人道的な大義が加わりました。綿花の輸出で南部と親密だったイギリスも、奴隷解放宣言が出たあとは南部を支援できなくなりました。リンカーンは、最も効果的なタイミングで奴隷解放を宣言したといえるでしょう。

1865年4月、北軍の勝利で南北戦争が終了した直後、リンカーンはワシントンの劇場で、南部連合の支持者によって暗殺されてしまいますが、同年、合衆国憲法修正第13条が批准《ひじゅん》され、合衆国全体で奴隷制度が廃止されました。

解放されても差別は続いた

南北戦争後、荒廃した南部の再建が共和党主導のもとに進められました。黒人奴隷が解放され、自由黒人となった人々には、選挙権が与えられました。大勢の黒人たちが選挙で投票し、黒人の代表が各地の議会に進出しました。

こうした状況を、南部の支配層は「黒人の支配」と批判し、恐怖をあおって白人大衆の支持を得ようとします。民間レベルでは旧南軍の士官を中心にして、黒人排斥を主張する「クー・クラックス・クラン（ＫＫＫ）」という秘密結社が生まれ、またたく間に南部各地に広がりました。真っ白い装束で、十字架に火をつけて黒人たちを恐れさせることで知られています（p113写真⑦）。

ＫＫＫは、黒人ばかりでなく、黒人を支援する白人も襲い、しばしば殺人にまでエスカレートしました。

一方、大農場にいた黒人は自由の身になっても、お金も住むところもありません。仕方なく地主の小作人となって、奴隷時代とあまり変わらない生活を送りました。

１８７６年の大統領選挙では南部の３州で、共和党と民主党の両党が勝利宣言するという混乱が起きました。開票に疑わしい点があり調査委員会が設けられたのですが、裏では共和党を勝たせる代わりに南部に進駐している連邦軍をすべて北部に引き揚げるという闇取り引きが行われていました。

連邦軍が南部から撤退すると、白人の影響力が回復し、反撃が始まります。19世紀終わりから20世紀初頭にかけて、南部各州では黒人から合法的に選挙権を取り上げる動きが広がりました。表向き黒人差別はできなくなったので、さまざまな州法を定め、実質的に黒人が投票できなくしたのです。

それが、投票に際しての「投票税」「読み書き試験」「父祖条項」などです。「投票税」は、投票にあたって税金を納めること。所得が低い黒人たちは税金を納めることができません。「読み書き試験」は、州憲法の条文を読んで試験官の質問に答え、理解しているかを試されます。これに合格しないと投票できないのですが、教育を満足に受けられず、読み書きのできない黒人たちは締め出されます。

しかし、これらの条件は貧しい白人にとっても投票の障害となります。そこで白人には投票できる例外規定を設けました。それが「父祖条項」です。かつて投票資格を有していた者やその子孫は投票できる、というものでした。父親や祖父が投票権を持っていたのは白人だけです。

これらの州法は、黒人に狙いを定め、実質的に選挙権を剥奪するためのズルい手段でした。さらに、南部の白人たちは1865年に成立した憲法修正第13条を悪用します。

「第1項　奴隷制および本人の意に反する苦役は、適正な手続きを経て有罪とされた当事者に対する刑罰の場合を除き、合衆国内またはその管轄に服するいかなる地においても、存在してはならない」（アメリカンセンターJAPAN訳）

奴隷制を廃止する条文ですが、「刑罰の場合を除き」という部分に注目してください。

この条文をやさしく言うとどういうことですか？

――犯罪者なら奴隷のように働かせてよい、ということでしょうか。

そのとおりです。その結果、何が起きたかというと、解放された黒人たちは些細な理由をつけられて、次々と犯罪者に仕立て上げられました。そして、囚人労働者として使役されることになったのです。

黒人奴隷だった時代は、農園主の「私有財産」だったので、病気になったり死んだりしないように、それなりに配慮されましたが、「囚人」となれば気配りは不要です。過酷な環境で、限界まで働かされた黒人たちの死亡率は高いものになりました。

今も活動しているクー・クラックス・クラン（ＫＫＫ）

アメリカの奴隷制度の始まりから南北戦争後まで話しましたが、質問はありますか。

――南北戦争後にできたクー・クラックス・クランは、今も残っているのですか？

ＫＫＫね、ごく少数ですが残っています。１８７０年代に警察が取り締まりを強化して、自然壊滅状態になったのですが、20世紀に入り再構築されました。

ＫＫＫは統一された組織ではありません。南部の人権団体の調査では、ＫＫＫの名前を冠する団体数は27あり、会員数の合計は5000〜8000人程度（2018年）だそうです。

2016年の大統領選挙で、KKKの有力団体の代表であるデビッド・デュークがトランプ支持を表明し、当時、大きなニュースになりました。「KKKから支持されていることをどう思うか」とトランプにメディアが聞いたら、「いろんな人が支持してくれるのはいいんじゃないか」と言ってKKKの活動を否定しなかった。それでまたKKKの運動が活発になっているのです。

実は、2年ほど前にテレビ局の取材でKKKの人たちに会ったことがあります。KKKのある団体が取材に応じたのですが、行ってみると携帯の電波も届かないような田舎。そ

写真⑦―現在も活動を続けるKKKの集会（2016年）｜写真提供：AP / AFLO

こに普通の白人のおじさんたちが集まって、夜になると十字架に火をつけました。

そして「今日は日本から取材が来てくれた」と言って、私をみんなに紹介したのですが、「日本は素晴らしい国だ。移民を一切受け入れずに独自の文化を守っている」と褒められてしまい、恥ずかしくてどうしていいかわからなくなりました。

ＫＫＫのような、民族の単一性とか独自性とかを守ろうという人たちにとって、日本は理想の国と思われているのだ、ということを知って愕然としたのです。

そうしたら、この前、私の知り合いのジャーナリストが、フランスで「移民を一切入れるな」と主張している極右勢力のマリーヌ・ルペン党首率いる国民連合の幹部を取材したところ、やはり「日本は素晴らしい」と褒められて困ったと言っていました。そんなふうに日本は見られている、ということですね。

囚人労働が「刑務所ビジネス」になった

――黒人が些細な理由で犯罪者にされて、刑務所で働かされていたとのことですが、今はどうなのですか？

いい質問ですね。実は、大勢の黒人たちが刑務所で労働させられているという構造は、今も続いています。

Q世界中で最も刑務所に収容されている人数が多いのはどの国でしょう?

――きっと、アメリカだと思います(笑)。

そう、アメリカなのです。ロンドンの調査機関によれば、アメリカの収監者数は、現在約220万人で、世界の収監者全体の5分の1を占めるほど多いのです。

アメリカでは、1970年代から収監者が増加しました。麻薬犯罪への厳罰が法令化され、麻薬を使用・所持しているだけで実刑判決が出るようになったからです。連邦や州の刑務所だけでは収容しきれなくなり、民間が運営する刑務所に委託しています。いわゆる「刑務所ビジネス」というのがアメリカでは発達しているのです。

実は、日本でも、刑務所が一部民営化されているのを知っていますか。PFI(Private Finance Initiative)方式という民間のノウハウでコストを抑えた方法で運営されています。殺人事件や凶悪な傷害事件を犯したような凶悪犯は収監されていません。過失運転で人をはねてしまったとか選挙違反とか。たとえば、カジノで100億円以上の借金をつくり、その返済に子会社から不正に金を借り入れて逮捕された製紙会社の元会長は、PFI方式の「喜連川《きつれがわ》社会復帰促進センター」（栃木県）に入っていました。

アメリカの刑務所内ではさまざまな製品がつくられています。日本でも家具や靴、バッグなどがつくられていますが、アメリカでは多くの企業が刑務所と契約を結んで、さまざまな製品が製造されています。米軍が使用するヘルメットや防弾チョッキ、シャツやテント、塗料や塗料用ブラシ、飛行機部品や医療機器などもつくられています。

増え続ける受刑者は、安定した安価な労働力です。囚人の賃金は経験によって異なりますが、だいたい時給数十円だそうです。企業側にとっては、健康保険や失業保険の分担金を支払うことなく、囚人を労働者として安価で使用できる。実に都合のいい話だよね。

受刑者が民間企業の労働力として安価に使われ、それによって企業が高い利潤を上げる仕組みは「産獄複合体」といわれ、「まるで現代の奴隷制度だ」と問題視されています。収監者の人種別の割合は、圧倒的に黒人が多くなっています。複数の人権団体の調査によれば、全人口の13％しか占めていない黒人が、収監者数の全収監者に占める比率は約40％です。人口に不釣り合いな割合ですよね。

要するに、黒人たちを意図的に多く逮捕・収監して、長期にわたって「現代の奴隷」のように働かせているのではないか、ということです。かつて南部の白人支配層が、黒人を囚人労働者にして使役したのと似ているでしょう。

黒人差別は、奴隷解放宣言から150年以上経った今でも、かたちを変えて続いているのです。

人種隔離法と「バスボイコット事件」

19世紀末の南部の話へ戻りましょう。選挙権を実質的に奪われてしまった南部の黒人たちに、追い打ちをかけるような連邦最高裁判所の判決が出ます。「黒人を白人から隔離しても差別ではない」というのです。

裁判までの経緯を説明しましょう。南部のルイジアナ州では、鉄道会社に対して、白人と黒人の乗る列車を分けたり客席を分けたりすることを法律で義務づけました。南部各州がそれぞれ同様の法律を定めていたのです。1896年、白人の座席から立ち退くように言われた黒人が、州法は差別を禁じた合衆国憲法に違反するとして裁判所に訴えたのです。

これに対して連邦最高裁は、「白人と黒人を法的に区分けしているからといって、それが直ちに両人種間の法的平等を否定しているわけではない」と述べ、ルイジアナ州の法律は憲法違反ではないと断定したのです。

この判決は「隔離すれど平等」という原則を打ち出したものと受け取られました。これ以来、特に南部では、学校や交通機関など、さまざまな公共施設が白人用と黒人用に分けられることになりました。差別そのものが広がったのです。その後、半世紀にわたり、この判決がアメリカの人種差別を支え続けます。

第二次世界大戦後もアメリカの南部では黒人差別が公然と続いていました。選挙権は行使できず、学校も白人とは別。レストラン、乗り物、トイレなども白人と同じように使えませんでした。

1955年、こうした黒人差別を撤廃するきっかけになる事件が、アラバマ州の州都モントゴメリーで起きました。ローザ・パークスという女性が、仕事帰りに乗ったバスで白人用座席のすぐ後ろの黒人用座席に座っていました。まもなく、白人が乗ってきました。白人用座席がいっぱいになったら、後部の黒人用座席の黒人が席を立って白人に譲る決まりになっていたのですが、ローザは席を譲らず座り続け、逮捕されてしまいます。

黒人の多くは貧しくてマイカーが持てず、市バスを利用していました。バスの利用者の3分の2は黒人だったのです。にもかかわらず、黒人用の座席は後部に限られ、白人が乗ってきたら席を譲るのが決まりです。席を譲らないだけで逮捕されてしまう。そんな「常識」が南部ではずっと続いてきたのです。

バスの座席が白人優先になっていることに不満を持っていた黒人たちが、この逮捕をきっかけに立ち上がりました。黒人の人権を守る団体や黒人教会の牧師たちが集まって話し合い、バスでの人種差別を撤廃させるために、バスの乗車ボイコットに踏み切ったのです。

キング牧師の非暴力抵抗運動

Q「バスボイコット」運動のリーダーで、公民権運動の指導者となったのは誰ですか？

――**キング牧師です！**


正解ですね。この時のリーダーが、マーティン・ルーサー・キングです。この事件の直前に町の教会の牧師として赴任したばかりで、まだ26歳の若さでした。

キング牧師は、1929年、ジョージア州アトランタで牧師の家に生まれました。アトランタといえば、映画『風と共に去りぬ』の舞台として有名ですが、この映画も今回のブラック・ライブズ・マター運動で、奴隷制度が正しく描かれていないと問題視されました。それに伴い、ある動画配信会社では一時配信を停止し、その後、本編の前に専門家の解説を付けて配信するようになったということが話題になりました。

キング牧師の生い立ちに戻りましょう。ペンシルベニア州の神学校に在学中、インドのマハトマ・ガンディーの非暴力抵抗運動を知り、傾倒します。暴力には暴力でなく、愛で立ち向かわなければならない、と確信するのです。ボストン大学大学院を卒業後にモントゴメリーの小さな黒人教会に着任し、このバスボイコット運動のリーダーになったのです。彼は持論の非暴力抵抗運動を実践していきます。

黒人女性ローザが逮捕された翌週の月曜日、モントゴメリー市の黒人たちは誰もバスに乗っていませんでした。タクシーで乗り合いする人、知り合いの自動車に乗せてもらう人、ラバに乗る人、馬車を使う人、ひたすら歩く人……。黒人たちは、暴動を起こすわけではなく、ただ人種差別をするバスには乗らない、という行動を取ったのです。バスボイコット運動は、自家用車の相乗り組織づくりや広報活動、継続的集会活動に支えられて約1年間続きました（左ページ図表⑪）。

―― 1年も！　その間、警察は何もしなかったのですか？

いいえ、もちろん警察は嫌がらせをして反撃しました。黒人たちを運ぶ車にひっきりなしに停車を命じたり、キング牧師自身もスピード違反を理由に逮捕されたりしました。

南部の白人ばかりの警察官たちは、幹部以下、黒人差別意識に凝り固まっていて、黒人の運動を激しく弾圧する側に回るのです。

とうとう、キング牧師の留守中、自宅に爆弾が投げ込まれるという事件まで発生します。

図表⑪—**モントゴメリー、バスボイコット運動**

バスボイコット運動とは

1955年12月1日、アラバマ州の州都モントゴメリーで、デパート勤務の黒人女性ローザ・パークス（当時42歳）が帰宅時に乗ったバスで白人に席を譲らなかったため逮捕された。これをきっかけに、日頃から不満を抱いていた黒人たちが立ち上がり、バスでの人種差別を撤廃させるために広まったバス乗車のボイコット運動。リーダーは26歳のマーティン・ルーサー・キング牧師。これが1960年代の公民権運動へとつながっていった。

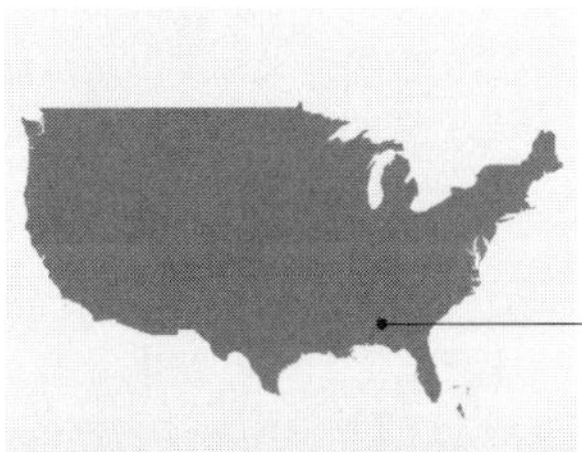

アラバマ州モントゴメリー
当時の人口は白人7万5000人に対して、黒人は4万5000人。黒人は貧しく自家用車が持てなかったため、バスの利用者の3分の2が黒人だった。

運動のきっかけとなったローザさんが乗ったバス。現在は博物館に展示されている
｜写真提供：AFP＝時事

妻と子どもは無事でしたが、怒った大勢の黒人たちがキング牧師の家に集まりました。白人の警察官たちは多勢に無勢で、さすがに手が出せませんでした。

キング牧師たちは、バスボイコットを続ける一方で、モントゴメリー市のバスの人種隔離は憲法違反だと連邦裁判所に訴えました。その結果、連邦最高裁判所は、キング牧師たちの訴えを認め、バスの人種差別を禁止するように求めたのです。この事件は公民権運動を大きく前進させる第一歩となりました。

「公民権法」が苦難の末に成立した

バスボイコットより少し前の1954年、連邦最高裁判所は、公立学校で白人と黒人を別々に教えることとは不平等であるという判決を下していました。「隔離すれど平等」ということは公教育の場ではありえない、と明言しました。かつて同じ最高裁が認めた方針を覆したのです。

この頃から、連邦最高裁は、徐々に黒人差別を認めない判決を下すようになっていきます。また、キング牧師たちの非暴力運動に励まされるかたちで、アメリカ各地で差別撤廃を求める公民権運動が盛んになります。

ところが、これを快く思わない白人たちの抵抗も、すさまじいものでした。アラバマ州バーミングハム市では、名うての人種差別主義者の白人警察署長がデモ隊に警察犬をけしかけたり、消防隊を動員して高圧ホースでデモ隊に放水したりしました。デモに参加していた子どもたちが放水で吹き飛ばされる映像は、全米ばかりでなく世界で報道され、アメリカの人種差別の実態に人々は驚きました。

また、『ミシシッピー・バーニング』（1988年）という映画のもとにもなった事件があります。

1964年、ミシシッピー州で、黒人解放運動に取り組んでいた3人の学生が、クー・クラックス・クラン（KKK）のメンバーたちに虐殺された事件です。殺された学生のうち2名は白人でした。犯人の中に警官も含まれていたことが、のちになってわかり、人々に衝撃を与えました。

その前年の1963年、キング牧師の呼びかけで、20万人を超える人々が首都ワシントンのリンカーン記念堂の前に集まりました。この年はリンカーンが奴隷解放宣言を出してから、ちょうど100年めにあたる年でした。集会の最後にキング牧師がした演説「私には夢がある」は、「自由と平等の国アメリカ」を信じる人々の心をゆり動かしました（125ページ図表⑫）。

この集会は「ワシントン大行進」と呼ばれ、公民権法成立を求める声の高まりを、当時のケネディ政権に訴えたものだったのです。

2年前の1961年、東西冷戦下で就任したケネディは、外交政策を重視していました。アメリカの黒人差別は世界から批判の声にさらされていました。黒人差別を解消しなければ、世界におけるアメリカの威信が損なわれてしまいます。ケネディ大統領は公民権法の成立を進めましたが、途中で暗殺されてしまいます。

ケネディの死によって副大統領だったジョンソンが大統領に昇格し、1964年、ジョンソン大統領のもとで公民権法が成立しました（p126図表⑬）。

白人学校と黒人学校を結ぶスクールバス

公民権法が制定されたあとも、アメリカ南部では人種差別撤廃運動の活動家が殺される事件が起きるなど、差別のない社会への歩みは一進一退が続きます。キング牧師も1968年に、白人男性によって暗殺されてしまいます。

人種差別が続く状況をなんとか打破しようと、さまざまな取り組みが行われました。そのひとつが「区別なきバス通学」です。

図表⑫—1963年8月28日、ワシントンでのキング牧師演説(一部抜粋)

|写真提供:GRANGER/時事通信フォト

I have a dream that one day on the red hills of Georgia, the sons of former slaves and the sons of former slave owners will be able to sit down together at the table of brotherhood...
I have a dream that my four little children will one day live in a nation where they will not be judged by the color of their skin but by the content of their character. I have a dream today.
私には夢がある。それはいつの日か、ジョージアの赤土の丘の上で、かつての奴隷の息子と、かつての奴隷所有者の息子が、兄弟として同じテーブルに腰をおろすことだ。
私には夢がある。それは、いつの日か、私の四人の小さな子どもたちが、肌の色によってではなく、人格そのものによって評価される国に生きられるようになることだ。
(辻内鏡人、中條献『キング牧師』より)

図表⑬―**アメリカにおける黒人差別の歴史**

年	できごと
1450年代	ポルトガルが奴隷貿易を始める。
1619	アメリカ大陸のプランテーション（大規模農園）に黒人が奴隷として導入され始める。
1662	バージニア植民地議会が世襲的黒人奴隷制を制定。以後各地で奴隷制度が法律で認められる。
1775	フィラデルフィアに奴隷制反対協会が設立される。
1776	アメリカ独立宣言。
1808	奴隷貿易が禁止される。
1860	共和党のエイブラハム・リンカーンが大統領に当選。
1861	サウスカロライナ、ミシシッピ、フロリダ、アラバマ、ジョージア、ルイジアナ、テキサスの7州が「南部連合」を結成し（のちに4州が加わる）、奴隷制度を認める憲法を制定し、アメリカ合衆国からの離脱を図る。／南北戦争始まる。
1863	リンカーン大統領「奴隷解放宣言」発表。
1865	南北戦争終結。／リンカーン大統領暗殺される。／憲法修正第13条が承認され、奴隷制廃止確定。／白人至上主義の秘密結社「クー・クラックス・クラン（KKK）」が結成される。
1868	憲法修正第14条で公民権の保障が確定。
1870	憲法修正第15条で黒人の参政権保障が確定。
1876	南部で白人社会から黒人を分離する「ジム・クロウ法」成立（1964年まで）。
1890	ミシシッピ州で黒人参政権の実質的剥奪が立法化。
1896	連邦最高裁判所が、公共施設での黒人分離は差別にはあたらないとの判決。
1955	アラバマ州モントゴメリーでキング牧師を中心にバスボイコット運動始まる。
1960	ノースカロライナ州グリーンズボロの軽食店で、黒人学生による白人専用席座り込み運動開始。
1963	アラバマ州バーミングハムで黒人デモを弾圧する様子が世界に報道される。 キング牧師の呼びかけで、ワシントンで集会が開かれる（ワシントン大行進）。
1964	公民権法が成立。／ミシシッピ州で黒人の権利を守る運動をしていた3人の若者が消息を絶ったのち、虐殺されて見つかる。
1965	独自の人種差別反対運動を続けてきたマルコムXが暗殺される。
1967	1964年のミシシッピ事件の被告たちに殺人罪は問われず。
1968	キング牧師、テネシー州メンフィスで白人により暗殺される。
1991	ロサンゼルスで白人警官が集団で黒人の容疑者を暴行する様子がテレビで放送され、これに黒人たちが抗議し暴動へと発展。しかし翌年、警察官全員に無罪評決が下される。
2012	無実の黒人高校生を自警団の男性が射殺するも、無罪評決が出されたことにより「ブラック・ライブズ・マター」という言葉が生まれる。
2020	2月、3月、5月と白人警官が無抵抗の黒人を殺害する事案が多発したことにより「ブラック・ライブズ・マター」運動が加速し全米に広がる。

「区別なきバス通学」とは、たとえば白人居住区の子が地元の学校に行くと白人ばかりの中で育ち、一方、黒人居住区の子が地元の学校に行くと黒人ばかりの中で育ち、いつまでたっても初等教育における人種隔離がなくならないので、スクールバスを使って強制的に、白人は黒人の学校に、黒人は白人の学校に送迎して、白人と黒人が学校で一緒になるようにする試みです。

なぜ、このようなプランが連邦政府から出てきたのかというと、その理由は、１９５４年に「公立学校における人種隔離は憲法違反」という最高裁判決が出されていたにもかかわらず、10年あまりたっても隔離の実態が変わらなかったからでした。そこで、連邦政府の教育省が強制的に「区別なきバス通学」を各地の公立学校に命じたのです。

２０１９年６月、当時民主党の大統領候補だったカマラ・ハリスが、民主党のディベートで大統領候補のライバルだったバイデンをやりこめる場面がテレビ等で紹介されていたのを見たことはありますか？

――見ました。カマラ・ハリスが激しくバイデンを攻撃していました。

カマラ・ハリスは、小学生の頃に「区別なきバス通学」を体験しています。彼女は、その体験を「現在の自分の人格形成に大きく寄与した」と自己分析し、「区別なきバス通学」の導入を求める連邦政府の命令に対して、人種隔離主義者の議員たちとともに反対した40

年前のバイデンを責め立てたのです。

ただし、バイデンも慌てて補足していましたが、彼が反対したのは、「区別なきバス通学」を連邦政府が強制することで、白人と黒人の学校統合には反対していなかったそうです。

もうひとつ、「アファーマティブ・アクション（affirmative action）」というのがありますね。積極的差別撤廃策といって、アメリカの大学や政府などで、差別されてきた黒人や先住民族、女性などのマイノリティーに、入学や採用の優先枠を設けています。具体的には、黒人や先住民族の合格枠・採用枠を設定し、たとえほかの人より成績が悪くても合格させる、というものです。これにより、アメリカの有力大学や有名企業に黒人の数が増えました。

ところが、１９９０年代になると、自分より点数の低い黒人が合格するのは「逆差別」だと訴える白人たちが出てきます。

黒人の中産階級の中にも、「アファーマティブ・アクション」に否定的な人たちがいます。「自分は実力で入学したり就職したりしたのに、アファーマティブ・アクションで優遇されたと思われるのは悔しい」という思いがあるのです。定着してきた制度だから、かえって見直しの時期を迎えているのでしょう。

実は今、ハーバードとかスタンフォードとかの名門大学を悩ませているのは、普通に学力試験をすると、アジア系が圧倒的に多くなってしまうことです。

——えっ、そうなのですか。

アジア系は、日本人もそうだけど、特に中国、インド系の人たちが教育に熱心だからね。アジア系は白人や黒人よりかなりいい点数を取っても入学できない、という事態が実際に起きています。大学側が制限をしているわけです。一方でアメリカの名門大学は、多様な学生をなんとか維持したいという思いもある。白人も黒人もアジア系も、大勢の人たちがいてこそ多様な学びが実現できるのです。

アファーマティブ・アクションのこともあるけれど、多様な学生を得たいから、アジア系ばかり、あるいは白人ばかりになるのを防ごうと、今、アメリカの多くの大学が入学システムの課題に取り組んでいるところです。

コロナ死者数で格差が浮き彫りに

いまだに黒人差別がなくならない、という現代の典型例が、新型コロナウイルスの感染者の致死率です。アメリカのコロナウイルス追跡プロジェクトによれば、黒人の死亡率は白人の2倍以上にのぼります。

ウイルスは平等にすべての人に襲いかかるのですが、それぞれの所得によって、あるいは働き方によって致死率に大きな違いが出てくるわけです。ホワイトカラーで所得が高い人は、すぐにリモートワークに切り替えることができます。

でも、黒人の低所得層の場合、リモートワークができないような仕事をしている人が多い。マイカーを持っていない人たちが大勢いるので、公共交通機関を利用せざるを得ません。初期の頃は、誰もマスクをしていませんでした。マスクをしないで地下鉄に乗って職場に通うとなると、当然、感染率は高くなります。

さらに、アメリカの場合、体形でだいたい所得がわかるといわれます。所得が低い人ほど肥満傾向にあります。ジャンクフードと安いハンバーガーばかり食べているので血圧が高くなったり、肥満になったりします。結果的に、所得の低い黒人たちの致死率が高まっている、というのが現在の状況です。

黒人差別について、いろいろ話してきましたが、質問はありますか？

——あの、黒人差別反対運動ではマルコムXの名前をよく聞きますが、どんな人だったのですか？

マルコムXは、キング牧師より4歳年上で、同時代に黒人解放運動の指導者だった人物です。ただし、キング牧師が白人と一緒に人種差別撤廃を目指したのに対し、マルコムは白人を憎み、白人から分離し別の国家をつくるべきだという過激な思想を持っていました。

当時のアフリカ系アメリカ人が全員キング牧師に同意していたわけではなく、一部の過激派はマルコムXを支持したのです。

しかし、マルコムは後年に視野を広げ、白人敵視を撤回、キング牧師と手を結ぶことを考えました。残念ながら、1965年に暗殺されてキング牧師との共闘はかなわなかったのですが。

歴史に「もし」はありませんが、実はマルコムXとキング牧師の会談が、暗殺された1週間後に予定されていたのです。マルコムはそれまで否定していたキング牧師に興味を示し、一方でキング牧師も非暴力抵抗運動に行き詰まりを感じ、新しい運動の方法を模索していました。もし、ふたりが生きていれば、新しいかたちの差別撤廃運動を展開した可能性があったと思います。よろしい？　では最後の質問にしましょう。はいどうぞ。

――アメリカだけじゃないのですが、差別というのはなくならないのですか？

それは非常に難しいよね。差別はいろんな理由で起きる。ユダヤ人差別はいまだにあるでしょう。日本でも被差別部落問題というものが、やっぱりあるわけだよね。階級みたいなもので分けて、誰かを差別することによって自分が優越感に浸る、ということがかつて制度化されていた。そして制度はなくなった今も差別が残っている。

たとえば、アメリカでいうと、白人でも所得の低い人たちに差別意識が強いのです。白人の中では弱い立場にいるから、もっと弱い立場をつくり出そうという気持ちがあるのでしょう。

ヨーロッパにおいてはユダヤ人が、当時のキリスト教徒が嫌がった高利貸しという仕事をさせられることによって差別が固定化していきました。アメリカの場合、もの扱いしていた黒人を人間として認めてやる。だけど汚れ仕事はやらせているという状態なので、差別意識を改革していくのは大変難しいでしょう。

やはり、子どもの頃からの教育によって、さまざまな人種の人たちと接して、みんな違って当たり前だという意識が定着すれば、差別を少しでも減らしていくことが可能ではないかと思います。

第4章

司法制度から見るアメリカ

マクドナルド・コーヒー裁判

アメリカは訴訟大国で、なんでもすぐに裁判をする、というイメージを持っている人が多いでしょう。中でも有名なのが１９９０年代にニューメキシコ州で起きた「マクドナルド・コーヒー裁判」です。

マクドナルドのドライブスルーで、孫の運転する自動車に乗ってホットコーヒーを購入した女性が、車の助手席でうっかりこぼしてしまい、太ももからお尻にかけてやけどを負いました。日本なら、自分の不注意だったで終わるところですが、この女性は、マクドナルドを訴えました。「やけどしたのはコーヒーが熱すぎたからで、熱すぎるコーヒーを売ったマクドナルドに責任がある」というわけです。

裁判の結果は、訴えた女性の勝ち。裁判所の陪審員たちは、マクドナルドに対して総額約２９０万ドル（約３億１０００万円）を支払うように命じました。

――なぜ、そんな金額になるのですか？

内訳は、やけどに伴う損害賠償が20万ドル、安全性への配慮をしなかったマクドナルドに対する「懲罰的損害賠償」として２７０万ドルでした。「懲罰的損害賠償」というのは、日本にはない考え方で、直接的な損害以外に、企業への罰として多額の賠償金を科すというものです。「罰」なのだから国家に支払うのかと思いきや、訴えた個人に支払うことになっています。

陪審員たちの評決の後、裁判官が両者の間に入って話し合いが持たれ、結局、マクドナルドが女性に60万ドル（約6300万円、正式金額は非公開）以下を支払うことで和解しました。これ以降、アメリカのファストフード店のコーヒーカップには、「熱いのでやけどに注意」の文字がいちだんと目立つようになったのです。

この裁判は、桁外れの金額がメディアで話題になって、世界中で有名になりました。訴えた女性は入院するほどのやけどを負っていたのですが、賠償金目当てに裁判を起こした「強欲なクレーマー」のレッテルをはられて、辛い日々を送ったそうです。この訴訟事件は『Hot Coffee』（2011年）というドキュメンタリー映画にもなりました。

マクドナルド・コーヒー裁判の顛末《てんまつ》はともかく、確かにアメリカでは「本当にこんな訴訟が」と耳を疑うような裁判がずいぶんと起こっています。何かというと、すぐに訴訟に持ち込まれるのはなぜなのでしょうか？

なんでも裁判にする理由

Q 1620年に、イギリスからピューリタン（清教徒）と呼ばれる植民者たちをアメリカ大陸に運んできた帆船の名前はなんでしょう？

――メイフラワー号です。

正解ですね。アメリカが、なぜ「裁判万能」「法律万能」社会になったのか、その根源を建国の当時にさかのぼる見方があります。

アメリカ建国の父（ピルグリム・ファーザーズ）と呼ばれる彼らは、上陸する直前に「各自が相互に契約し、契約に基づいて、植民地の幸福のために公平な法を制定する」という盟約を結びました（メイフラワー盟約）。すべては法制度に基づき、契約によって法制度がつくられることを事前に取り決めたのです。アメリカという国は、「契約社会」としてスタートした。法律万能という意識の根源はここにある、というわけです。

その後、自由の国アメリカには、世界各地から多様な民族が集まってきました。出身が異なる人たちの価値観がぶつかるのは当然です。日本では、国民にある程度共通した「社会の常識」が存在しますが、アメリカにはありません。その場合、個人の交渉でトラブルを解決することは大変難しくなります。

それよりは、裁判で客観的な第三者に判断してもらったほうが簡単で現実的です。こうして、裁判に訴えることが、ごく普通のことになったと考えられます。「トラブルは裁判で解決すればいい」という意識が広く浸透しているのです。

また、アメリカが、イギリス流の法制度を導入したことも、影響しているでしょう。法律の世界には「大陸法」と「英米法」のふたつの流れがあります。「大陸」とはイギリスから見たヨーロッパのこと。ドイツやフランスなどの法制度が「大陸法」です。まず法体系をつくり上げ、その法律に基づいて何事も判断するという方式です。

これに対して「英米法」は、先に法典をつくるのではなく、実際の裁判の判例を積み重ねることで、社会のルール（「慣習法」）をつくろう、という考え方です。判例を積み重ねていくわけですから、まずは裁判がなくてはなりません。裁判をやって判例をつくってもらおう、とするのです。

イギリスの法制度がアメリカに受け継がれ、「なんでもすぐに裁判にする」という発想になっているのです。日本は大陸法を導入したので、訴訟の多いアメリカ社会に疑問を感じますが、そもそも法制度に違いがあるのです。

弁護士の人数は日本の30倍以上

裁判が多いと、弁護士の需要が増えます。現在、アメリカには約１３５万人の弁護士がいます。人口がアメリカの４割弱の日本の弁護士は約４万人ですから、日本の30倍以上の人数です。アメリカの弁護士の人数は、世界の弁護士の３分の2を占めるともいわれています。

日本とアメリカの弁護士には大きな違いがふたつあります。ひとつは、アメリカでは、各州で実施されている弁護士試験に合格する必要があります。アメリカは連邦国家で、「州」がそれぞれ「ミニ国家」ですからね。だから、厳密にいうと「アメリカ（全土）の弁護士」というのはいません。ニューヨーク州弁護士とか、カリフォルニア州弁護士という具合に、必ず「州」が入るわけです。

ちなみに、アメリカで弁護士になるには、4年制の大学を卒業したあと、「ロースクール」という法科大学院に3年間通って、各州で実施される弁護士試験を受けることになります。一方、日本で弁護士になるには、司法試験に合格し、司法研修所で1年半の研修を受ける必要があります。近年ではアメリカの制度を見習って、大学卒業後、「法科大学院」を卒業して司法試験を受けるのが一般的なコースになりつつあります。

もうひとつ、日本とアメリカの弁護士が違うところは、日本の場合、法律に関わる職業は、弁護士以外にも行政書士、司法書士、弁理士などがいます。アメリカでは、日本の行政書士や司法書士などが行う業務を、すべて弁護士が引き受けています。ですので、日米の弁護士の人数を単純に比較できませんが、それを勘案しても、やはりアメリカの弁護士数とは大きな差があります。

アメリカの弁護士は、業務の幅が広い分、弁護士間の格差も大きく、年収も数億円から数百万円まで、まさにケタ違いです。

また、弁護士資格を持っていても、誰もが裁判に関係する仕事をしているわけではありません。アメリカの大企業に設けられた法務部門で働いているのは、ほぼ全員が弁護士資格を持つ企業内弁護士です。日本でもそうした弁護士が出てきています。そのほか学者や行政府の中にも弁護士資格を持つ人が大勢います。アメリカは「契約社会」ですから、何事にも契約がつきものです。社会活動のさまざまな場面で、法律の詳しい知識を活かすことが可能です。

日本の弁護士の社会的地位は、高いですよね。「弁護士」という肩書きだけで信用を得られます。日本でも弁護士の数が増えたので、収入の格差は広がりました。しかし弁護士の数がもっと多いアメリカでは競争はさらに過酷です。

弁護士が増えすぎると、需要と供給の関係で、弁護士の間でし烈な競争が始まります。弁護士が「食べていく」ために、弁護士自身が、なりふりかまわず仕事をつくり出そうとするケースもあります。

そんな弁護士を皮肉った言葉が「アンビュランス・チェイサー（Ambulance Chaser／救急車を追いかける人）」です。救急車が出動したということは、目的地にけが人や病人がいるだろう。そのけが人や病人に働きかけて誰かを訴えてもらおう。その弁護を引き受けて、裁判に勝てば成功報酬が受け取れるだろう、という意味合いで「悪徳弁護士」の代名詞なのです。

「アンビュランス・チェイサー」が暗躍しているせいかわかりませんが、裁判万能主義が思わぬ弊害をもたらすようになりました。訴えられることを恐れて、廃業する医者や医療メーカーが続出するようになったのです。

もし患者に訴えられた時のために、医師や病院は「訴訟保険」に入ります。ところが、「医療過誤」をめぐる裁判が年々増え、損害賠償額もうなぎのぼりになると、保険会社も保険料を引き上げないと採算が取れません。保険料も年々引き上げられ、とうとう保険料を払えない医師や病院が、廃業に踏みきるようになったのです。

特に、患者数があまり多くなく、財力に乏しい地方の医師が廃業してしまいます。すると「無医村」になったり、病気になると遠い都会の病院に通ったりしなくてはいけません。先ほど、マクドナルド・コーヒー裁判の賠償金に高額の「懲罰的損害賠償」が含まれていたでしょう。医療訴訟でも、懲罰的損害賠償を認める判決が出ると、しばしば極端な高額となるのです。訴訟をめぐる医療危機は1970年代の中頃から社会問題になっていましたが、現在も続いているのです。

では、「弁護士王国」「訴訟万能社会」といわれるアメリカの裁判制度がどうなっているのか、見ていきましょう。

連邦と州の裁判所がある二重構造

Q アメリカの司法制度は、イギリスの司法制度をモデルにしていますが、イギリスとは大きく異なる点があります。なんでしょうか？

――**裁判所が「州」ごとであるとか？**

そうです。アメリカには、州ごとに裁判所があり、さらに連邦にも裁判所があります。それぞれの州で起きた法律違反の事件は州内の裁判所で審議します。州は独自の憲法を持ち、州の議会が制定した法律があります。州の裁判所も、地方裁判所、控訴裁判所、最高裁判所の三審制です（一部、二審制の州もあります）。

――控訴裁判所ってなんですか？

控訴裁判所は、地方裁判所の判決に対する控訴の裁判を行うところで、日本の高等裁判所に相当します。

では、連邦裁判所は何をするのか？　複数の州にまたがるような広域の事件だと、どこの州で裁判をするのかということになるので、その場合は連邦裁判所で審議します。また、アメリカ全体に適用される合衆国憲法、連邦法に違反する事件・犯罪などは連邦裁判所が判断します。国際的なテロ組織が起こした重大な犯罪なども連邦裁判所で扱います。

連邦裁判所にも、地方裁判所、控訴裁判所、最高裁判所があり、州と同様、三審制です。連邦地方裁判所、連邦控訴裁判所は、全米各地にあります。地裁は94か所、控訴裁は13か所です。そして、連邦最高裁判所は1か所のみでワシントンにあります。

連邦の地方裁判所、控訴裁判所、最高裁判所の判事（裁判官）は、すべて大統領が指名し、議会上院の承認によって任命されます。州の裁判官は、大統領選挙あるいは中間選挙の時に一緒に投票で選びます。第1章で、投票用紙の写真とともに説明しましたね。

最高裁判事の指名が大問題に

Q 連邦最高裁判所のリベラル派の女性判事が今回の大統領選挙の2か月ほど前に亡くなりましたが、知っていますか？

――**大統領選に絡めたニュースで見たような気がしますが、よく覚えていません。**

ルース・ベイダー・ギンズバーグ（Ruth Bader Ginsburg）氏です（p144写真⑧）。日本のニュースでも、ずいぶん取り上げられました。彼女は名前の頭文字をとってＲＢＧと呼ばれていました。彼女の顔がプリントされたＴシャツが販売されるほど人気がありました。ギンズバーグ氏はリベラル派判事の代表的存在で、１９９３年に民主党のクリントン大統領によって任命されてから27年間、男社会の中で女性の地位向上に奮闘してきました。87年の生涯でした。

では、彼女の死が、どうして大きなニュースになったのか？　最高裁判事の定員は現在9名です。定員は連邦議会が決めることになっていて、将来は変わる可能性もあります。奇数になっているのは、判決が判事の多数決で決まるからですね。

判事は終身制です。定年はありません。自ら辞任するか死去しないかぎり職に留まれます。外からの圧力を受けないですむように身分が保証されているのです。判事はどうやって決まるんだっけ？

――**大統領が指名して、連邦議会上院が承認して決まります。**

そうですね。だから、大統領が民主党で、上院でも民主党が多数の場合は、リベラルな裁判官が選ばれます。一方、共和党の大統領で、上院が共和党多数だと、保守的な裁判官が選ばれるわけです。

ギンズバーグ氏が亡くなるまで保守派5人、リベラル派4人という割合でした。これだと保守派の判断ばかりが通るように見えますが、保守派のはずの判事が時々リベラル派に同調する判断をすることもあり、ひとりの差なら、まだバランスがとれていたのです。

写真⑧―ルース・ベイダー・ギンズバーグ｜写真提供：AFP＝時事

しかし、ギンズバーグ氏の後任に、トランプ前大統領は保守派で48歳のエイミー・コニー・バレット氏を指名。大統領選挙を直後に控えていたにもかかわらず、約1か月で異例のスピード承認を強行しました。保守派6人、リベラル派3人となり、最高裁は完全に保守派に傾きました。しかもリベラル派のひとりは82歳という高齢です。終身制が大きな弊害を招いているといえるかもしれません。

アメリカの保守派の中には、妊娠中絶や同性婚を容認する判決を出してきた最高裁の判断に猛反発する人たちもいます。この人たちは、ギンズバーグ氏の後任に、妊娠中絶を認めない判事を送り込み、判例を覆したいと考えていました。今回任命されたバレット氏もそうした立場の人物と見られています。

民主党は、「新しい判事は新しい大統領が決めるべきだ」と猛反発しました。実はこれ、4年前にまもなく任期満了を迎えるオバマ大統領が、欠員の後任にリベラルな判事を指名しようとした時に、共和党が言ったことなのです。その結果、指名は選挙後に持ち越されて、トランプ前大統領が保守派の判事を送り込むことに成功したのです。

ところが、共和党は4年前と言うことが逆転。今回は「すぐに決めるべきだ」と主張して実行したのです。

最高裁判所にまで、アメリカ社会の分断と対立が影を落としているのです。

すべての裁判が陪審員制度とはかぎらない

アメリカの法廷ドラマを見ると、必ず陪審員が登場しますよね。「陪審員制度」とは、陪審員が、裁判官から独立して事実の判断をし、それに基づいて有罪・無罪を決定する制度です。アメリカの裁判はみんな陪審員制度だと思っている人が多いのですが、そうではありません。逮捕から判決に至るまでの過程を見ていきましょう（左ページ図表⑭）。

まず逮捕された容疑者は、裁判官の前で、罪を認めるかどうかを尋ねられます。被告が罪を認めれば、陪審員のいない法廷で裁判官によって裁判が開かれ、すぐに判決が言い渡されます。非常に簡単でしょう。私がやりましたと言えば、それで終わり。

実はアメリカでは、このルートが圧倒的に多く、逮捕された容疑者の8割は、こうして有罪判決を受けます。これではドラマにならないよね（笑）。

では、被告が容疑を否認すると次はどうなるか。この時「大陪審」と「予審」のふたつのルートがあります。起訴するかどうかを陪審員が決めるのが大陪審で、裁判官が決めるのが予審です。どちらにするかは、検察官が選びます。日本の場合は、検察官が独自に起訴するかどうかを決められますが、アメリカの場合はできない。必ず大陪審か予審かを選

図表⑭—**アメリカにおける、逮捕から判決(評決)に至るまでの過程**

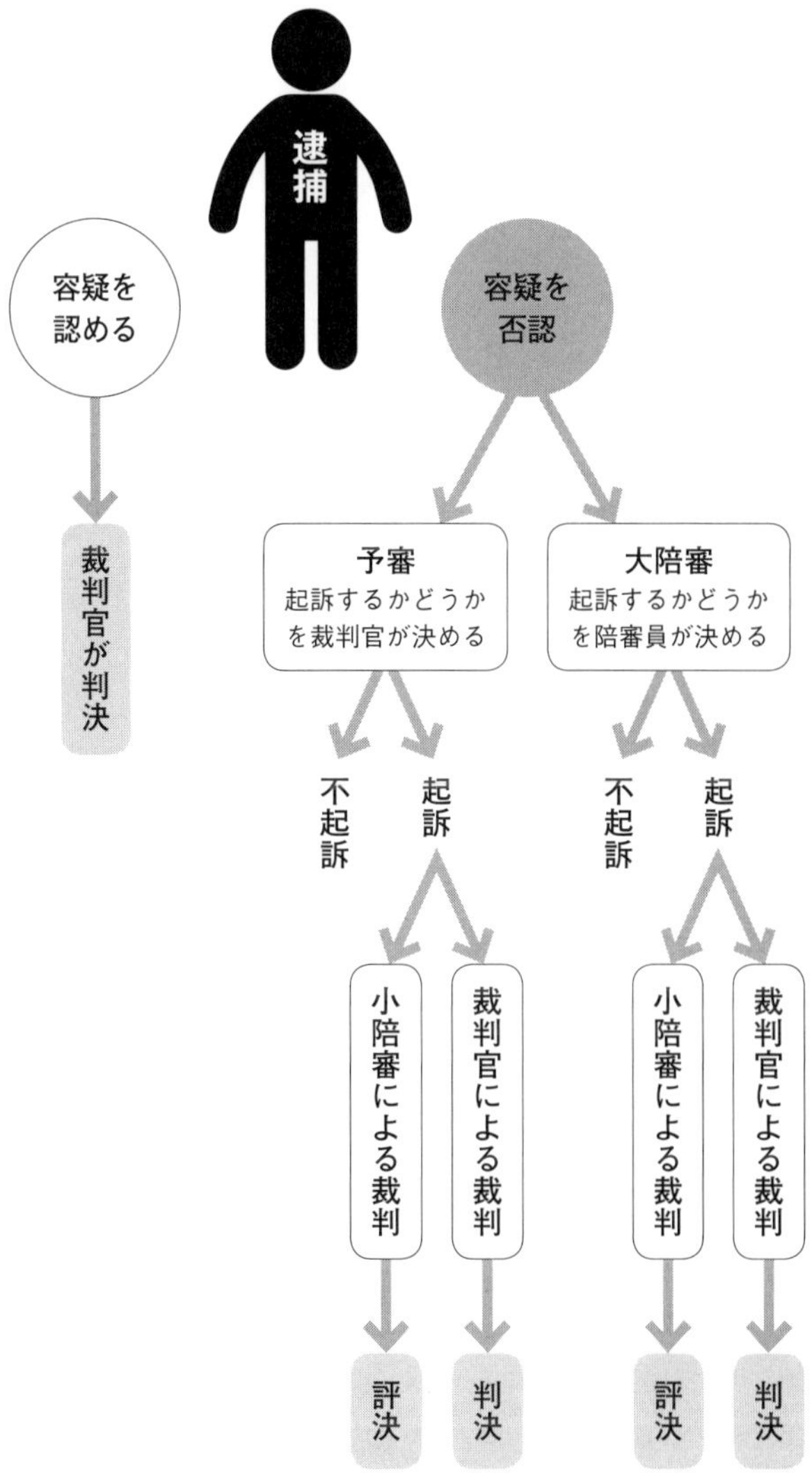

ばないといけないのです。

「大陪審」は、みんなが思う陪審制度とは違います。有罪・無罪を判断するのは、図（p147図表⑭）のもっと下、次の段階のところにある「小陪審」。通常、陪審員制度といわれているのは、小陪審のほうです。大陪審は起訴するかどうかを決めるところ。大陪審と小陪審は、まったく違う機能なのです。

――名前に「大・小」がついていますが、その差はなんですか？

単純に人数の差です。大陪審は陪審員の数が16人以上23人以下となっています。大陪審は数が多いから名称に「大」がつくだけで、重大な事件だから大陪審が審理するというわけではありません。

大陪審は非公開で、被告の弁護士が出席できません。検察官が陪審員に証拠を示し、被告が罪を犯したと疑うに足ることを証明しようとします。そして多数決で裁判にかけるかどうかを判断します。弁護士の反対弁論もないので、大陪審では、ほとんどが検察側の主張どおり起訴されるといわれています。詳しくは後述しますが、起訴されて小陪審が選ばれると、まったく別の人たちが、新たに小陪審の陪審員として選ばれます。

一方、「予審」を選ぶと、検察官と弁護士が出席して、まるで本番のような裁判が事前に行われます。検察官が犯罪の証拠を示し、弁護士が反論。それを見て裁判官が起訴するかどうかを決めるのです。このやり方だと、弁護側は検察がどんな証拠を持っているのか全部見ることができます。ということは、その後どのように弁護していけばいいのか、というプランを立てやすいので、弁護側に有利といわれています。

いずれにせよ、この段階で「証拠不十分」と判断されれば、不起訴になって終了です。

自分に不利になりそうな陪審員候補は拒否できる

いよいよ起訴ということになったら、今度は起訴された人が裁判の方法を選ぶことができます。プロの裁判官に判決を出してほしいか、あるいは陪審員の人たちに判断してもらいたいかを自分で選べるのです。

ここで、起訴された人が「プロの裁判官に判断してほしい」と言えば、裁判官が弁護側と検察側の言い分を聞いて、有罪か無罪かを決めることになります。日本の裁判と同じやり方をするわけ。これもドラマにならないんだよね（笑）。

ところが「陪審員の人たちに判断してもらいたい」と言えば、陪審員裁判に進みます。これがドラマになるわけだよね（笑）。素人の陪審員の前で、検察や弁護士がとうとうとプレゼンテーションしますから。

陪審員は一般市民の中から選ばれます。小陪審の陪審員の人数は6~12人、これも州によって違います。通常は12人です。キリストの弟子が12人だったから12人になったという説がありますが、14世紀のイギリスで確立した陪審裁判の陪審員が12人だったので、それが継承されているという説が有力のようです。

――陪審員は、一般市民の中から、どんな方法で選ばれるのですか?

アメリカには日本のような戸籍制度がなく住民票もないので、有権者名簿や納税者名簿、自動車運転免許所有者名簿などから、コンピュータが候補者を選び出しています。

大陪審の陪審員の任期は1年です。任期中には、いくつもの大陪審に出席します。一方、小陪審は、その裁判かぎりで選ばれます。

――無作為に選ばれて、たとえば病気とか、仕事が忙しいとかだと断れるのですか?

選ばれた陪審員候補者は「免除事由」があれば免除されます。妊娠中だったり、子育て中だったり。病気やどうしても仕事を休めない人なども含まれます。

逆に、不適当な人が陪審員候補に選ばれてしまう可能性もあるよね。アメリカ市民でも英語が話せない人もいる。あるいは、裁判や人種に関して偏見を持った人もいます。陪審員候補者は裁判所に呼び出され、裁判官がさまざまな質問をして、陪審員として認めていいかどうかを判断します。

この時、刑事事件なら検察官と弁護士もそれぞれ質問を投げかけて、自分にとって不利な判断をしそうな人物を一定の人数まで拒否することができます。「無条件忌避《きひ》」といって、州によって、また裁かれる罪の大きさによって違いますが、10～20人まで、検察側・弁護側それぞれが「忌避」できます。忌避する理由は説明しなくていいのです。

たとえば、被害者が白人で被告が黒人なら、検察官はなるべく白人の陪審員を増やそうとするし、弁護士は白人をできるだけ除いて黒人を選ぼうとします。

さらに言うと、検察官、弁護士が自分たちに有利な陪審員を選ぶために「陪審員コンサルタント」を雇うことがあります。コンサルタントは、事件について、裁判が行われる地域で「ミニ世論調査」までして、どういうタイプの人が被告に同情するのか、反発するのかを調査しておくのです。そのうえで、陪審員候補の質問への答え方などを分析し、陪審員として認めていいかどうか、検察官や弁護士にアドバイスをします。このコンサルタントの活躍で検察側、あるいは弁護側に有利な陪審員が選ばれるので、「陪審員が決まった段階で裁判は終わったも同然」と言われるほどです。

それにしても、アメリカの陪審制度が新しい職業まで生み出していることに驚くよね。裁判が始まる前から検察側と弁護側の目に見えない戦いが始まっている、というわけです。

陪審員の「評決」は全員一致が原則

陪審員に選ばれた人たちは、法定での検察側と弁護側の言い分だけで、有罪か無罪かを判断しなければいけません。だから、新聞報道やテレビ報道などを一切見ないようにしなければならないのです。外部からの情報で裁判に先入観を持たないようにするためです。大きくセンセーショナルに扱われている事件だと、あらゆる報道から陪審員を遮断するために、陪審員が裁判所の指定する宿泊施設に缶詰めになることがあります。

裁判では、検察側と弁護側がそれぞれ証人を出廷させて、論戦を尽くします。法廷ドラマだと、ここが見どころになりますね（笑）。

裁判が終わると、陪審員たちが集まって、有罪か無罪かだけを決めます。これを「評決」といいます。判決ではないのです。判決は「（裁判所が）法規にあてはめて判断し決めたこと」。評決は「（市民が）議論して決めたこと」です。

評決は全員一致が原則です。全員の意見が合うまで評議は続けられます。意見が食い違うと、評議は何日にも及ぶことがあります。ここもドラマだよね。実際に、『十二人の怒れる男』（１９５４年）という陪審員たちの人間模様を浮き彫りにした名作テレビドラマがあります。映画化もされて芝居にもなりました。

――どうしても全員の意見が一致しない時は、どうするのですか？

改めて陪審員を全員選び直して、もう一度最初からやり直します。信じられないくらい時間と労力と費用がかかる方法ですが、アメリカでは、このやり方が守られているのです。ただ、圧倒的な差がつけば多数決で決める州もごく一部にあります。その場合の多数決は単数多数決ではなく、3分の2を超える賛成があれば評決は成立するというやり方を取っています。

評決が「無罪」の場合は、英語で「ノット・ギルティ（Not guilty）」と読み上げられます。日本語では「無罪」と表現しますが、「ノット・ギルティ」は「有罪ではない」という意味です。「有罪と判断するには合理的な疑いが残った、有罪とは言えない」ということですね。日本語にも「疑わしきは罰せず」という言葉があるでしょう。疑わしいだけでは有罪にできない、という原則を表しています。

「無罪」の評決が出たら、裁判はそこでおしまい。検察は控訴できません。陪審の評決はそれだけの重みを持っているのです。日本の場合は、たとえば、地方裁判所で無罪判決が出たら、検察側が不服として控訴できるでしょう。アメリカでは、常に被告側を有利にしようという考え方が土台にあるので、とにかく被告に「無罪」が出たら、そこでおしまいなのです。

では、「有罪（guilty）」という評決が出た場合はどうなるのか？　陪審員たちは有罪か無罪かを決めるだけで、その後、実際に懲役何年という量刑（刑の重さ）を決めるのは裁判官です（量刑まで陪審員が決める州もある）。

――被告の人は、プロの裁判官にするか、陪審員のほうの裁判にするか、どうやって決めるのですか？

それは自分にどちらが有利なのか、と考えて選ぶわけです。たとえば、非常にややこしい事件なので、プロの裁判官のほうが公正に判断してくれると思えば、裁判官のほうを選ぶ。逆に、自分には同情すべき点がたくさんあるから、素人の陪審員にアピールするほうが有利だと考えれば、陪審員のほうにするでしょう。一般的には弁護士と相談しながら、有利なほうを選びます。

陪審制度と日本の裁判員制度の違い

――時間と労力を考えると、陪審員になりたくない人も多いのではないですか？

確かに、陪審員に選ばれると何日も拘束されたり、情報から隔離するためにホテルに缶詰めにされたりする可能性もあるわけだよね。手当は出るけど冗談じゃない、と働き盛りの忙しい人たちは断るわけ。結果的に高齢者や専業主婦、無職の人たちばかり選ばれやすい。はたしてそれでいいのか、という批判もあります。

また、「素人には複雑な論点が理解しにくい」という指摘もあります。たとえば、血液のＤＮＡ鑑定にまつわる話とか、ＩＴ産業をめぐるトラブルなど、最先端の科学の問題が法廷に持ち込まれるケースが今後増えていくと予想されます。そうした問題を、陪審員がきちんと判断できるのだろうかという議論も起きているのです。

――疑問や批判の声も上がっているとのことですが、アメリカで陪審員制度をずっと続けている理由はなんでしょう？

陪審裁判を受けることは、そもそも憲法で認められている権利なのです。広大なアメリカでは、建国当初、法律の専門家である裁判官が巡回してきて裁判を開くのを待っていられない、という地方事情もありました。

それぞれの地域で発生した事件は、それぞれの地域の代表によって裁かれました。それには、イギリスから導入した陪審裁判の方法がふさわしかったのです。

また、陪審裁判は民主主義にとって大変重要だという考え方もあります。政治制度を民主的に運営するために大切なのは、三権分立を維持することです。三権分立のうち、立法、行政とも、国民が選挙で選んだ代表が権力を行使します。ならば、司法にも国民の代表が関わるべきだ、というのがアメリカの民主主義の考え方なのです。

権力は信用できない、権力はすぐに人民を不当に抑圧しようとする、という意識をアメリカ人の多くが抱いています。その意識をもとにして、さまざまな制度が確立しているのです。

日本も、立法、行政に関しては国民の代表の行為を国民が監視し、批判することもあります。しかし、司法に関しては、専門家任せで口を出さない、という状態が長く続いていました。そこで国民の司法への理解を深めようと、2009（平成21）年から国民が裁判に参加する「裁判員制度」が始まったのです。

裁判員制度は、一般市民から選ばれる裁判員が刑事裁判に参加する制度で、裁判員は、法廷で行われる審理に立ち会い、裁判官と対等に議論して、被告人が有罪か無罪か、有罪の場合にはどのような刑にするのかを判断します。原則として、裁判員6人と裁判官3人が、ひとつの事件を担当します。

アメリカの陪審制との基本的な違いは、起訴された事実が有罪か無罪かについて、陪審制は裁判官から独立して陪審員だけで議論して決めるのに対し、裁判員制度は、裁判官と裁判員が一緒に議論し、有罪か無罪かを決めるというところにあります。

陪審制はイギリスで発達してアメリカへ受け継がれましたが、ヨーロッパ大陸のドイツやフランスでは、事実認定と刑の重さを、国民から選ばれた「参審員」が裁判官と一緒に決める「参審制」に修正されて広まりました。

日本の「裁判員制度」は、国民と裁判官が一緒に議論して決めるという「参審制」をベースにしていますが、裁判員を事件ごとに選任する点、法解釈は裁判官が行う点は、「陪審制」を取り入れた独自の制度になっています。

――先ほど、アメリカでは働き盛りの世代の人が、陪審員候補者になっても辞退するという話でしたが、日本でも同じ問題が起きると思いますが、どうなのでしょう？

実は、日本でも裁判員候補者の辞退率が上昇傾向にあります。辞退理由（70歳以上、学生、育児・介護など）があれば、「候補者名簿記載通知」や「選任手続き」への呼び出し状に同封された書類に記入して返送します。または、「選任手続き」で地裁に呼び出された時に辞退を申告することもできます。

辞退を認めるかどうかは地裁の判断です。でも、通知を無視して、無断で選任手続きを欠席する人があとを絶たないのが現状です。

最高裁によれば、２０１０年には辞退率が約53％でしたが、２０１８年には約67％に上昇しています。制度開始から10年経って、国民の関心が薄れてきたのではないか、という見方もあります。

新型コロナウイルスの影響で、関係者の感染を避けるため、2020年には全国で多くの裁判員裁判の実施が見送られました。コロナの影響で裁判員の辞退率がさらに上がるのではないかと危惧されているのです。

連邦政府が17年ぶりに死刑執行

量刑でいちばん重いのは「死刑」です。連邦法には死刑がありますが、国際社会やアメリカ国内の潮流が死刑廃止に向かう中、連邦政府レベルでは2003年を最後に執行されていませんでした。ところが2020年7月、死刑が確定していた3人に相次いで刑が執行されました。その裏では、トランプ大統領の意向が働いたとみられています。トランプ大統領は「死刑制度支持派」で、麻薬密売や警官を殺害した犯罪にも死刑を導入すべきという過激な主張もしていました。

アメリカの場合、連邦法では死刑が認められていますが、州法では認めている州と認めていない州があります。2020年10月時点で、全50州のうち28州が死刑制度を支持、22州で不支持となっています。さらに、カリフォルニア州のように、死刑制度を支持するけれど執行を一時停止している州や、死刑制度を支持するものの10年以上死刑を執行していない州があって、死刑制度については、ばらばらな状態です（p160図表⑮）。

全米でいちばん死刑執行が多いのはテキサス州です。NPO団体の死刑情報センターによれば、1976年以降に死刑を執行された人数では、テキサス州が561人で最も多く、バージニア州（113人）、オクラホマ州（112人）が続きます。

テキサス州が圧倒的に多いでしょう。その理由としては、テキサス州の住民のほぼ半数が保守的なプロテスタントで、『旧約聖書』に出てくる「命には命をもって償うべし」という報復の掟《おきて》を信じているから死刑を受け入れやすいという見方がありますが、定かではありません。

ちなみに、ジョージ・ブッシュ元大統領（息子）は、テキサス州知事時代に150件以上の死刑執行を実施しています。連邦政府が17年前に死刑を執行したのも、ブッシュ政権の時でした。

アメリカでは、死刑執行の方法も州ごとに異なります。一般的に4種類あって、絞首刑、電気ショック、薬物、ガスです。日本では絞首刑ですね。

アメリカの死刑執行数は1999年の98件をピークにして、現在まで減少傾向にあります。そもそも、死刑判決の数自体が減少しています。1998年と2018年の死刑宣告

図表⑮—**アメリカ各州の死刑制度** | 出典：DEATH PENALTY INFORMATION CENTER

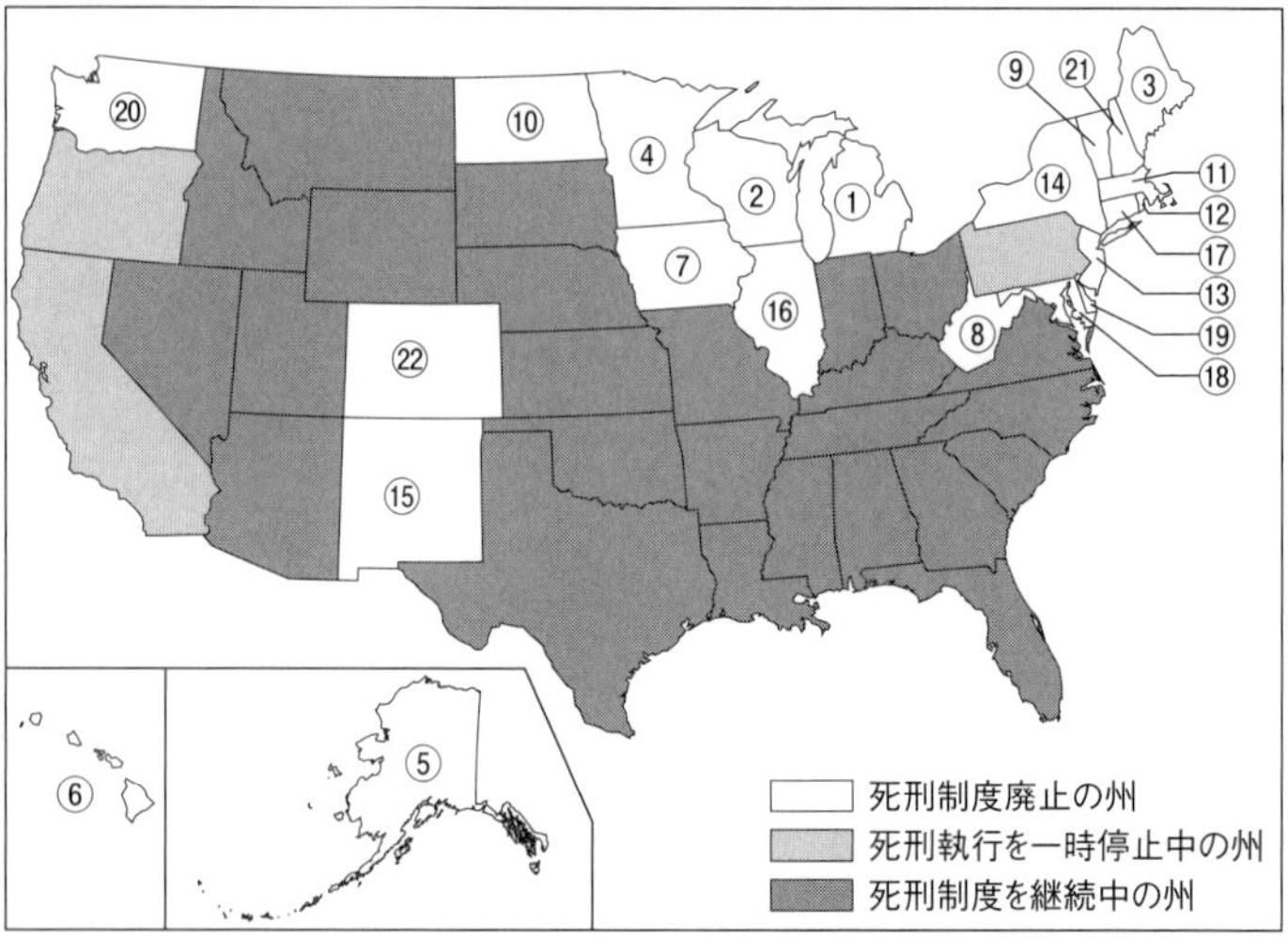

●死刑制度を廃止した州

州名	廃止年
① ミシガン州	1847
② ウィスコンシン州	1853
③ メイン州	1887
④ ミネソタ州	1911
⑤ アラスカ州	1957
⑥ ハワイ州	1957
⑦ アイオワ州	1965
⑧ ウエストバージニア州	1965
⑨ バーモント州	1972
⑩ ノースダコタ州	1973
⑪ マサチューセッツ州	1984

州名	廃止年
⑫ ロードアイランド州	1984
⑬ ニュージャージー州	2007
⑭ ニューヨーク州	2007
⑮ ニューメキシコ州	2009
⑯ イリノイ州	2011
⑰ コネチカット州	2012
⑱ メリーランド州	2013
⑲ デラウェア州	2016
⑳ ワシントン州	2018
㉑ ニューハンプシャー州	2019
㉒ コロラド州	2020

＊そのほか28州は死刑制度継続中だが、カリフォルニア州、オレゴン州、ペンシルベニア州は死刑執行を一時停止している。

の数を比べると、85%も減っています。トランプ政権時代に連邦政府の死刑執行がありましたが、全体としては減少傾向にあるのです。

終身刑と無期懲役は異なる

死刑の次に重い量刑は、アメリカでは「終身刑」、日本だと「無期懲役」になります。

Qアメリカの「終身刑」と日本の「無期懲役」は同じではありません。何が違うでしょう?

――終身刑は出られないけど、無期懲役は出てこられるイメージです。

はい、「終身刑」は刑期の終わりがない、つまり一生涯にわたって服役することを意味します。日本には、終身刑はないんだよね。じゃあ日本の「無期懲役」は何かというと「懲役何年という期限を定めない判決」という意味なのです。だから、死ぬまで入っている人も中にはいるけれど、態度がよければ「仮釈放」という制度がある、ということですね。「仮釈放」というのは、刑期の途中で釈放されることです。そして、一定期間罪を犯さないこと、保護司に報告することなどの条件を満たした場合には、残りの刑期が免除されます。刑務所内で、反省・更生が認められた受刑者を、社会の中で更生させようというわけです。「終身刑」と「無期懲役」では、全然違うでしょう。

――無期懲役の場合、何年くらいで外に出られるのですか？

かつては17～20年程度で出られることが多かったのですが、現在は「刑の執行が開始された日から30年が経過」というのが条件になっています。だから、仮釈放される無期懲役刑受刑者の平均服役期間は30年を超えています。

余談ですが、日本の刑務所の中でも高齢化が進んで、無期懲役で刑務所に入っているうちに寝たきりになる、なんてことがあるわけだよね。刑務所の刑務官が服役囚の介護をしなければならないとか、病気になったら医療刑務所へ移さなければならない、とか刑務所が老人介護の現場になってしまうんじゃないか、という問題が生じています。

終身刑のあるアメリカでも受刑者の高齢化が進み、人権NGOヒューマン・ライツ・ウォッチの報告書によれば、「刑務所は高齢者を想定して設計されていないが、現実には獄中で老人ホームを運営している状態」だそうです。

同報告書は、増加した高齢受刑者の減少に向け、治安を危険にさらさずに量刑と釈放の方針を改定することを提言しています。刑務所の服役囚の高齢化は、世界的な問題になっているのです。

第5章

軍事・外交・諜報から見るアメリカ

世界中にあるアメリカ軍基地

アメリカの軍事力は世界最強です。１４０万人の兵士を擁し、アメリカを含む世界41の国と地域に基地を確保して、19万人の米兵が駐留しています。その一覧（左ページ図表⑯）を見てみましょう。何か気がつくことはありますか？

アメリカ軍基地がたくさんある国はどこか注目してください。韓国に多いよね。これはもちろん、朝鮮戦争があって、いまだに朝鮮戦争は休戦状態。いつまた戦争が始まるかわからないから、韓国にアメリカ軍基地があるのはわかるでしょう。さあ、それ以外、どこの国に多いだろうか？

――**日本、ドイツ、イタリア、第二次世界大戦の敗戦国に多いです。**

そう、そのとおりだよね。第二次世界大戦でアメリカと戦った旧枢軸国をアメリカが占領した。そして二度と戦争をしないようにしよう、アメリカに逆らわないようにしようという意味も込めて、戦争の相手国に、まず軍隊を置いた。それがいまだに続いているわけです。

これだけの軍隊を維持するには膨大な資金が必要です。世界の軍事情勢を分析した年次

図表⑯—**アメリカ軍基地・施設の分布**｜出典：アメリカ国防省・基地構造報告書 2017年

地域	陸軍	海軍	空軍	海兵隊	合計
アメリカ本土	1565	785	1535	190	4075
アメリカ領	40	62	9	0	111
海外	202	123	166	23	514
合計	1807	970	1710	213	4700

●アメリカ以外のアメリカ軍基地や施設がある国と地域（40か国・五十音順）

国名	基地・施設数
アイスランド	1
アセンション島（イギリス領）	4
アラブ首長国連邦	2
アルバ（オランダ領）	1
イギリス	25
イスラエル	1
イタリア	44
エジプト	1
エルサルバドル	1
オーストラリア	6
オマーン	4
オランダ	6
カタール	1
カナダ	3
韓国	80
カンボジア	1
キュラソー島（オランダ領）	1
ギリシャ	8
グアンタナモ湾（キューバ）	1
クエート	2
グリーンランド	1
ケニア	1
コスタリカ	1
コロンビア	1
ジブチ	1
シンガポール	2
スペイン	4
ディエゴガルシア島（イギリス領）	1
ドイツ	119
トルコ	13
日本	120
ノルウエー	2
バハマ	6
バーレーン	12
ブルガリア	1
ペルー	2
ベルギー	11
ホンジュラス	1
ポルトガル	21
ルーマニア	1

報告書「ミリタリーバランス2020」によれば、2019年のアメリカの軍事予算は6846億ドル（約75兆円）。トランプ大統領在任中、防衛費は増額を続けてきました。

アメリカ軍は、陸軍、海軍、空軍、海兵隊、宇宙軍の常備軍と、平時は海上警備を主とし、戦時には海軍と共に戦う合衆国沿岸警備隊の6軍から成り立っています。このうち、具体的な任務がわかりにくいのは、海兵隊と宇宙軍ではないでしょうか。

海兵隊は、名前を聞くと海軍のようにも思えますが、そうではありません。海兵隊は、ひと言でいえば「斬り込み隊」。敵に対して真っ先に飛び込んでいく精鋭部隊のことです。陸軍、海軍、空軍は、自国を守るためにも戦いますが、海兵隊は敵を攻撃することを前提とした戦闘部隊です。日本では沖縄に駐留しています。

宇宙軍は2019年12月に創設されたばかりの軍です。どんなことをする軍隊なのか、はい、誰かわかる人は？

――人工衛星で得られた情報を地上軍に教えたり、ミサイルを警戒したりします。

はい、そうですね。別に宇宙へ行って戦闘をするわけではないからね（笑）。たとえば、北朝鮮の弾道ミサイルの発射の兆候がなぜわかるのか。それは、アメリカ軍の偵察衛星が宇宙空間にいるからです。また、発射したのがすぐにわかるのは、発射炎を赤外線カメラで探知する早期警戒衛星が常に監視しているからです。

今のところは、人工衛星の軍事的利用や宇宙空間の監視が主な任務です。宇宙軍発足の背景には、宇宙分野での開発を進める中国、ロシアとのし烈な競争に勝って、軍事的優位を確保するねらいがあるのです。

陸軍、海軍、空軍などの軍隊は、地域ごとに分かれて統合し、欧州軍、太平洋軍というふうに六つの「統合軍」を結成しています。つまり、軍隊の機能としては、陸軍、海軍などに分かれていますが、それぞれ地域に司令部があって、その司令部の下に、陸軍や海軍、空軍などがある、という構造です。

六つの統合軍は、アメリカ本土を守備範囲とする「北方軍」、南米を担当する「南方軍」、日本を含むアジア太平洋地域を担当する「インド太平洋軍」、ヨーロッパを担当する「欧州軍」、

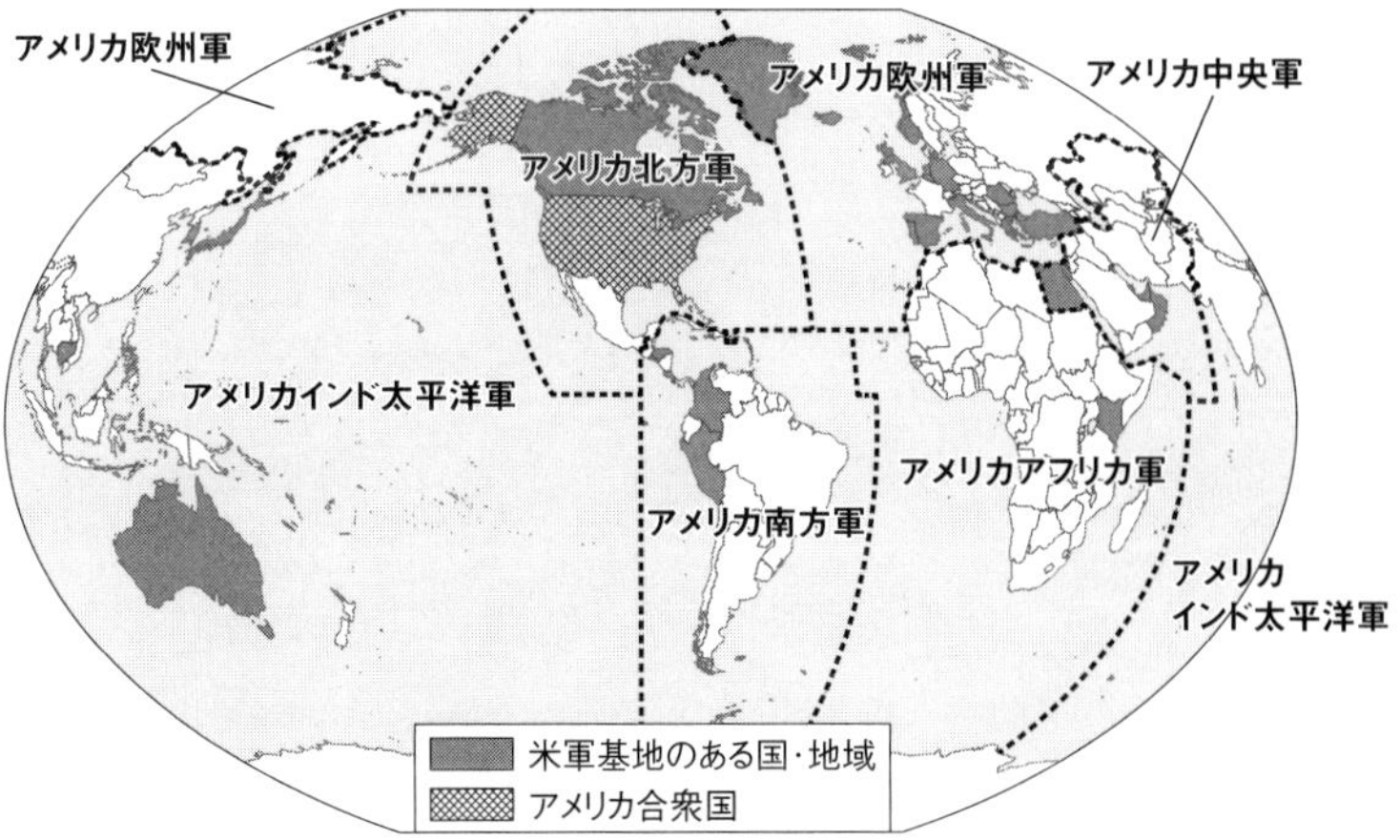

地図③—世界に広がるアメリカ軍

中央アジアから中東、エジプトを担当する「中央軍」、エジプトを除くアフリカを担当する「アフリカ軍」です。

世界各地に基地を設け、世界中を守備範囲にしているアメリカ（p167地図③）。なぜアメリカは、ほかの国々とは比較にならないほどの強大な軍事力を持っているのか。その歴史を振り返ってみましょう。

「モンロー主義」と「アメリカファースト」

これまでアメリカは、世界中のさまざまな紛争に顔を出し、「世界の警察官」の役割を担ってきました。しかし、歴史を振り返ってみると、それは第二次世界大戦後の姿であることがわかります。

みんな、学校で「モンロー主義」を習ったでしょう。かつて、アメリカはモンロー主義という外交政策を取っていました。1823年に、第5代のジェームズ・モンロー大統領が、議会に宛てて出した教書（大統領の方針）の中で発表した外交方針です。要するに、南北アメリカ大陸にある国に対して、ヨーロッパは口を出すな。アメリカもヨーロッパのことに口を出さない、というものです。ヨーロッパもアメリカもお互いに政治的干渉をしないようにする、という外交方針です。

実は、建国の父ジョージ・ワシントンも、アメリカはよその国のことに口を出すべきではないと言っています。だから、モンロー主義というのは、ジョージ・ワシントンからの伝統を受け継いでいるわけですね。

注意してほしいのは、アメリカのことに口を出すなというのは、「北米」のことに口を出すな、ではありません。「南北アメリカ」のこと、つまり中南米も含んでいます。

Q なぜアメリカは、中南米のことを気にしたのでしょうか？

——地理的につながっているので他国の干渉が脅威だったとか、そういったことでしょうか？


そういうこともあるでしょうが、アメリカは中南米に反米の国ができてほしくなかったのです。中南米は、アメリカにしてみれば自分の裏庭になるわけだよね。アメリカは中南米を自国の勢力圏とみなしていて、親米政権をつくって維持しようとしていたのです。モンロー主義を宣言した当時、スペインの植民地だった中南米諸国に独立の動きが見られました。すると、ヨーロッパ各国が介入に乗り出し、これにアメリカが反発。アメリカ政府は自らの外交姿勢を明らかにした、それがモンロー主義です。

モンロー主義は、よく「孤立主義」と説明されますが、これは正確ではありません。モンロー主義の本質は「南北アメリカに手を出すな」というものだったのです。この外交方針をもとに、アメリカは東のヨーロッパには目を向けず、南の中南米や、西の太平洋へ目を向けて進出していくようになります。モンロー主義は「東半球はヨーロッパのもの、西半球はアメリカのもの」という、世界をふたつの勢力圏に分ける宣言でもあったのです。

2度の世界大戦にも参戦をためらった

第一次世界大戦の際、ドイツが勢力を拡大しても、アメリカはすぐには参戦しませんでした。ヨーロッパのことなど、アメリカは知ったことではない、というモンロー主義を貫こうとしたわけです。しかし、イギリスの貨客船がドイツの潜水艦に撃沈され、犠牲者の中に多くのアメリカ人が含まれていたため、アメリカ国内でドイツに対する批判が高まります。それでようやく腰を上げて参戦し、勝利を収めました。

戦後、アメリカのウッドロウ・ウィルソン大統領は、悲惨な世界大戦を経験して、なんとか世界から戦争をなくそうと、国家間の関係改善のため、「国際連盟」を提唱します。ですが、結局このウィルソンの考えは議会で反対され、国際連盟を提唱したアメリカが不参加を表明する事態になるのです。

アメリカの議会には、世界大戦を経験しても、モンロー主義を貫こうとする議員たちが多かったわけですね。アメリカは世界の政治と関わることなく、自分たちのことさえうまくやっていればいい、という考え方が根づいていたのです。

さらに、第二次世界大戦がヨーロッパで始まって、ドイツがあっという間にポーランドやフランスを占領した時、イギリスのチャーチル首相が、アメリカに参戦してくれと頼みましたが、なかなか参戦しませんでした。ドイツと同盟を結んでいた日本がハワイの真珠湾を攻撃して初めて、アメリカは参戦し、連合国に加わったのです。

日本がハワイを攻撃、という一報を聞いたチャーチルは、「これで我々は勝てる」と言ったという有名な話があります。アメリカはこれで激怒し日本に宣戦布告をするだろう、日本と軍事同盟を結んでいるドイツに対しても宣戦布告をするはずだ。第二次世界大戦にアメリカが参加してくれる、これでイギリスは負けることがない、という論法ですね。

それほどまでにヨーロッパがひっ迫している戦況だったにもかかわらず、アメリカは世界のことに無関心だった。それが本来のアメリカなのです。

トランプが、「アメリカファースト」「アメリカ以外のことはどうでもいい」と言っていたのは、実は伝統的なモンロー主義の立場に戻ったともいえるのです。

冷戦がきっかけで世界各地に基地を配備

第二次世界大戦が終わると、アメリカと一緒に連合国側にいたソ連が、占領下の東ヨーロッパの国々を、ソ連に都合のいい、ソ連の言うことを聞く国にしていきます。それを目のあたりにしたアメリカは、危機意識を持ち、世界に軍事力を展開していくことになります。

1947年3月、アメリカのトルーマン大統領は、東欧に隣接し、当時内戦状態にあったギリシャと、海峡問題でソ連と対立していたトルコを軍事援助し、ソ連の拡大を封じ込める政策を提唱します。

ソ連を中心とした共産主義の国々が、さらに影響力を伸ばさないように、共産主義圏の周りを囲んで、これを封じ込めなければいけないという政策です。この「封じ込め政策」が、アメリカの戦後の外交戦略になるのです。

アメリカに対抗して、ソ連のスターリン首相は、同年9月、各国共産党の情報交換機関として「コミンフォルム」（共産党・労働者党情報局）を結成します。実は、第二次世界大戦前に、ソ連を中心に「コミンテルン」（共産主義インターナショナル）という組織の支部が世界各国に存在しました。「世界革命」（世界中を社会主義にすること）の実現に向けて、モスクワの指令のもとに、各国共産党が活動するというものです。

この組織は、第二次世界大戦で、ソ連がアメリカなどと共同で戦うようになってからは自由主義陣営と敵対しないように解散していました。しかし、ソ連は、戦後にまた同じような組織をつくったわけです。

アメリカ国内にも、ソ連の全面的なバックアップによる、アメリカ共産党という組織ができます。ソ連が世界中で共産主義革命を起こすのではないか。資本主義を掲げるアメリカそのものの存続が脅かされる。アメリカの権益を守るために世界各地にアメリカ軍基地を配備して、ソ連を封じ込めなければいけない。アメリカは、こう考えるようになります。

アメリカという国の存続をかけて共産主義勢力と対抗していたら、結果的に「世界の警察」の役割を担うようになっていった、ということですね。

アメリカ陣営につくなら独裁国家でも許容

トルーマン大統領は１９４７年、中東への共産主義の拡大を防ぐため、ギリシャに対するイギリスの援助を肩代わりすることを表明しました。アメリカの冷戦政策を明らかにしたのですが、この中で世界を善（自由主義）と悪（共産主義）のふたつに分けて、悪との対決を宣言したのです。これは「トルーマン＝ドクトリン」と呼ばれています。ドクトリンとは、戦略のこと。ものすごく単純でしょう。テレビの子ども向けの「戦隊もの」みたいに、正義のヒーローと悪者をはっきり分けたのです。

この単純な論法は、アメリカ国民に受け入れられました。アメリカは「善」。アメリカの味方をする国も「善」。独裁者であろうと、国民をどんなに弾圧していようと、アメリカの味方をするなら、これはいい国。一方、アメリカに敵対する国であれば、民主的な国であっても悪い国という具合に、世界を都合よく、善と悪に分けるようになります。

朝鮮戦争の時、アメリカは、独裁を続けて国内の言論の自由を認めない韓国政府を支持し続けました。ベトナム戦争でも、腐敗しきった南ベトナム政府を守り、その結果、ベトナム国民に反米感情を抱かせることになりました。

一方、南米のチリでは、1970年に民主的な選挙によって、アジェンデ大統領による社会主義政権ができますが、ソ連に近寄ろうとしていたため、アメリカは軍隊をそそのかし、1973年にピノチェトという将軍にクーデターを起こさせます。そして、選挙で選ばれたアジェンデ政権をひっくり返して、ピノチェトの軍事独裁政権をつくり上げます。

ピノチェト政権の間に、チリでは人権が抑圧され、いったいどれだけの人が殺されたのか。数万人といわれていますが、はっきりわからないような状態です。17年に及ぶ悪夢のような独裁政権のあと、1990年にチリは民主化されましたが、国民に深い傷を残しました。

アメリカに従わなければ、たとえ民主的な政権でもひっくり返す。アメリカは、口では人権が大切と言いながら、アメリカの味方をしている国の人権抑圧には目をつぶってきたのです。

外国での諜報を行うCIAができた

アメリカは、さまざまな軍事施設をつくると同時に、情報の重要性に気づき、1947年にCIAという組織をつくります。CIAというのはなんの略ですか。国際高校の君たちなら、知っているかな?

――セントラル・インテリジェンス・エイジェンシー(Central Intelligence Agency)です。

はい、そうですね。日本語だと「中央情報局」と訳しますね。アメリカでは、第二次世界大戦中に、CIAの前身である「戦略情報局(OSS/Office of Strategic Services)」という諜報・工作機関が存在しました。暗号の解読や、スパイ、プロパガンダ(宣伝)などの活動が任務です。戦争に勝つためには、相手が何をしているかを全部知らなければいけない。アメリカは情報の重要性を理解していました。

だから、日本が真珠湾攻撃をする際に、宣戦布告が攻撃開始後になったというけれど、実はアメリカは知っていたという「陰謀説」がありますね。

戦争では、攻撃をする前に宣戦布告をするのがルールです。日本側の日米交渉打ち切り通告、これが事実上の宣戦布告となるのですが、その暗号が、ワシントンの日本大使館に送られてきました。ところが、その日は、大使館員がひとり転勤することになって、送別会をやっていた。翌朝、本国（日本）から大量の暗号が届いていたので、大慌てで翻訳したのですが、間に合わないうちに真珠湾攻撃が始まってしまった。でも、アメリカは、日本からワシントンへ送られた暗号を解読していたので、日本が宣戦布告をすることを知っていた——。陰謀説にもいろいろありますが、大筋はこんな感じです。

わかっていたのに、なぜハワイで奇襲攻撃を受けてしまったのか。これはさまざまな議論があって、当時アメリカでは、参戦に反対する声も強かったので、あえて、アメリカ国民を怒らせて、戦争をするために、何もしなかったのではないかという説があります。

現在では、宣戦布告の暗号は解読できても、真珠湾の防御をするまでの時間がなかったのではないか、というのが一般的な解釈になっています。でも、陰謀説が出るくらいアメリカの暗号解読が進んでいた、ということだよね。
敵の暗号を解読することによって、戦争を有利に進め、勝利へ導く。戦後、アメリカでは、情報を分析する組織が必要だということになり、ＣＩＡという諜報機関をつくるわけです。
君たちは、ルース・ベネディクトという人が書いた『菊と刀』という本を知っていますか？

――**いえ、知りません……。**

戦後すぐに出版された古い本だから、知らないかもしれないね。ルース・ベネディクトは文化人類学者で、第二次世界大戦中には、戦時情報の調整と拡散を行う「戦争情報局（ＯＷＩ／Office of War Information）」の日本班チーフだった女性です。彼女の戦時中の報告書をもとに書かれた本が『菊と刀』で、今も日本語訳の本があります。現代から見れば、ちょっと分析が古めかしいのですが、日本がどんな文化を持っているのかということを分析しています。
もう亡くなりましたが、ドナルド・キーンさんを知っていますか？

――**はい、アメリカ生まれで、日本文学や日本文化の研究者でした。**

そのとおりです。アメリカは、日本をよく知るために、大量の日本語要員を養成しました。キーンさんは、日本文学が大好きだったから、軍の日本語要員に応募して採用され、日本にやって来た人です。

敵国に対するアメリカの姿勢に比べて、日本はどうしていたか。太平洋戦争が始まると、日本国内では、英語のような敵性の言葉を学校で教えてはいけない、となって、英語の学習が禁止されてしまいます。禁止されるだけではありません。英語風の名前の会社や学校は、全部名前を変えろということになりました。

「フェリス女学院」が、一時的に「横浜山手女学院」に名前を変えさせられたことは有名ですね。参考書や受験教材で有名な「旺文社」の「旺」という字は不思議な字を書くでしょう。普通、使わないよね。あれはもともと西欧、東欧の「欧」だったのです。欧米の文化を紹介する出版社という社名だったわけ。それが敵の国の文化をやるのはけしからんと言われ、戦争中に社名の漢字1字を変えました。でも、すっかり「旺文社」が有名になったから、今もそのまま使われています。

日本語要員を大量に養成したアメリカと、英語を禁止した日本。まったく逆の態度を取ったわけですが、結果は明らかですね。つまり、敵を知らなければ、戦争に勝つことはできない、ということです。

情報をインテリジェンスに研ぎ澄ませる

Q CIAの「I」はなんでしたっけ？

――インテリジェンス（Intelligence）です。

そうですね、CIAは日本語に訳すと中央情報局。だから、インテリジェンスは「情報」と訳されています。「情報」といえば、もうひとつ別の英単語が思い浮かぶでしょう？

――インフォメーション（Information）。

そうですね。情報っていうと、普通は「インフォメーション」でしょう。日本語にすると、「インフォメーション」と「インテリジェンス」の区別がつかないのです。でも、この2語は意味が異なります。世界中からいろんな「インフォメーション」を集めて、「インテリジェンス」に研ぎ澄ませていく。それをやっているのがCIAなのです。どういうことか、具体的に説明しましょう。

2020年8月、中国の習近平国家主席が、「大食いは深刻な飲食の浪費」と発言しました。そうしたら、中国は国をあげて、大食いをやめようという一大キャンペーンになり、大食いコンテストのテレビ番組がなくなって、大食いの動画も削除されました。そして、「残さないように、食べられるだけの量にしましょう」という宣伝活動が、現在、中国で行われています。このニュースは情報だよね。「インフォメーション」です。

その一方で、中国では、この年の春から夏にかけて、全国各地で大変な災害、水害が起きて、かなり食料が不足しているという情報がある。さらに、コロナ禍によって、いろいろ海外の輸出入が滞ってしまって、海外から食料がこれまでどおりに輸入できなくなっているという情報もある。

それらの情報を全部組み合わせて、「中国は今、食料に関して危機的な状況になっている。このままの状態が続けば、食料危機が起きるのではないか。地方では餓死者が出るのではないか」という分析をする。これが「インテリジェンス」になるわけです。

CIA北京支局から、ワシントンのすぐ近くのCIAにこの情報が送られると、本当に食料が不足しているかどうか、偵察衛星でチェックをします。アメリカの偵察衛星が中国の農村地帯を上から見て、いったい米がどれくらいできているのか、できていないのかというのを見るわけだよね。

偵察衛星で確かめるのは、CIAとは別の諜報機関、「アメリカ国家安全保障局（NSA／National Security Agency）」です。そのNSAが撮った偵察衛星の写真がCIAに届く。すると、CIAの分析官が写真を分析し、この秋にかけて、中国ではこれだけの食料が不足しますというデータを出し、大統領に提出するわけ。

大統領はそれを見て、米中対立が続いている時に、このデータをどうやって生かそうか、どうやって中国に圧力をかけるか。あるいは、中国は食料不足だろうから、もっとアメリカの大豆を買えと要求しようか、と、こういう政策を立てるのは政治の仕事です。諜報機関は政策を提言してはいけない。あくまで情報を集めて、インテリジェンスに高めた情報分析を大統領に提出します。その仕事をしているのが、ＣＩＡという組織です。

――偵察衛星は、軍事だけでなく、豊作かどうかのチェックにも使われるのですね。

そうなのです。余談ですが、実は、こういう偵察衛星を、アメリカは民間企業も持っています。小麦などで非常に有名な食料会社、カーギル社というのがありますが、カーギル社は独自に偵察衛星を持っています。

人工衛星で世界中の小麦の出来を見て、「今年の秋の小麦の収穫はこれくらいだ」と判断し、出来が悪いということになれば、先物取引で大量の小麦を買い占めておく。あるいは、世界中で小麦が豊作だということになると、小麦の値段が下がるから、その対策を練る。衛星写真を参考にして企業戦略を立てているのです。

世界中の通話が傍受されている

偵察衛星のところで名前が出たＮＳＡという組織は、長らく存在を秘密にされていました。そもそもＮＳＡは、No such agency（そんな組織は存在しない）の略だといわれるぐらい秘密にされていたのですが、現在では、かなりオープンになっています。世界中を偵察衛星で監視したり、盗聴をしたりする諜報機関です。

２０１３年に、当時ＮＳＡに勤務していたエドワード・スノーデンが、世界中のインターネットと電話回線の傍受を行っている実態と、その方法を暴露したよね。日本国内でも、みなさんの電話、あるいは、インターネットのメールのやりとり、全部ＮＳＡがこれを盗聴しているというわけですね。

その裏には、世界的なネットワークの存在があります。「ファイブ・アイズ（Five Eyes）」、五つの目というのですが、それは、アメリカ、イギリス、カナダ、オーストラリア、そして、ニュージーランド。この五つの国がファイブ・アイズといって、各国の諜報機関が盗聴したデータをアメリカのＮＳＡに提供し、ＮＳＡが分析して、また各国の諜報機関に情報を戻す。これがファイブ・アイズという連携組織の仕組みですね。

Q アメリカ、イギリス、カナダ、オーストラリア、ニュージーランド。これらの国の共通点はなんですか？

――いや、戦勝国でもあるんだけど、もうひとつ共通点があるでしょう？

――（第二次世界大戦の）戦勝国ですか。

イギリスと、イギリスの植民地だった国々です。

正解です。さらにいえば、アングロサクソンが主導権を取っている国でしょう。それらの国だけで仲よしグループをつくって、同盟国として世界中のさまざまな情報の収集をしようぜ、というわけだよね。五つの国のスパイ組織が相互に情報を送り合っています。ちなみに、イギリスの対外情報部はＭＩ６で、世界中でスパイ活動を行いますが、イギリス国内の外国のスパイを摘発するのはＭＩ５です（ＭＩ６、ＭＩ５は共に通称）。

ＮＳＡのアンテナは、世界のいたるところにあります。日本だと、青森県のアメリカ軍の三沢基地のすぐ横に「ゴルフボール」といわれる、十数個のゴルフボールのようなアンテナがあります（p184写真⑨）。これはグーグルアースで見ることができます。

なぜゴルフボールのように見えるのかというと、パラボラアンテナがどっちに向いているかわからないように、カバーしてあるからです。上空から見ると、本当にゴルフボールのように見えます。ここで、日本国内だけでなく、ロシア、中国、北朝鮮の情報を全部傍受しているのです。各国から得た情報は、すべてNSAのスーパーコンピュータに届けられ、世界中の監視体制ができているのです。

以前、石破茂さんが、第二次安倍政権の最初に、自民党の幹事長になりました。石破幹事長に自民党の幹事長室でインタビューして、「安倍さんと仲が悪いんでしょう」と尋ねてみました。石破さんは、「いや、そんなことはない、毎日、安倍さんとちゃんと携帯電話でやりとりをしている」と言います。そこで私が、「じゃあ、全部アメリカに盗聴されているのではないですか」と言ったら、石破さんが、「うん、だから、大事なことは話さないようにしている」と。大事なことを話さないということは仲よくないじゃないですか、という

写真⑨—三沢基地にある通信傍受施設｜写真提供：共同通信社

ツッコミになったのですが（笑）。

つまり、日本の政府の幹部も携帯電話でやりとりしていることは、全部アメリカに盗聴されていることを前提にして、電話では大事なことは話さないようにしている、ということですね。

ちなみに中国でも徹底的に盗聴が行われていますから、中国に駐在している日本のテレビ局、新聞社、通信社の電話はすべて盗聴されます。だから、中国側によって盗聴されていることを前提に、日本とのやりとりをしています。大事な話をする時には、外に出て、公衆電話を使って電話をするわけです。

以前、あるテレビ局の人が、仕事でチベットの情報を得たいと、つい気軽に、そのテレビ局の北京支局に電話をして、「チベットの情報だけどさ」と言った途端、電話をたたき切られたそうです。しばらくして、その担当者が公衆電話から電話をかけてきて、「バカヤロウ、支局の電話にチベットの話なんかしてくるな」って言って、怒られたというのです。盗聴を前提に話しているということです。中国政府はチベットに関する問題についてはとても敏感ですからね。ちょっとびっくりするでしょう。だけど、そういうことが実際に行われているということですね。

ファイブ・アイズだけではなく、世界の各国が独自にアメリカのＣＩＡ、イギリスのＭ

I6のような機関を持っていて、常に他国の情報を集めているのです（図表⑰）。

NSAは全米の通話の「メタデータ」を集めている

また、NSAが、アメリカ国内の電話の「メタデータ」を収集していることが明らかになっています。メタデータとは、「本体のデータに関する付帯情報が記載されたデータ」という意味で、具体的にいうと、ある電話番号からどこの電話番号にかかったのか、その人が誰に電話をしたのか、という付帯情報のデータを全部、NSAは収集しています。

たとえば、テロの容疑者がひとり捕まったとするでしょう。その人物がテロリストだとわかると、

図表⑰―**主な国の対外情報機関**

国名	機関名	通称
アメリカ	中央情報局	CIA（Central Intelligence Agency）
イギリス	秘密情報部	SIS（Secret Intelligence Service）MI6の呼び名が有名
ロシア	連邦保安庁	FSB（Federal Security Service）
ドイツ	連邦情報局	BND（Bundesnachrichtendienst）
フランス	対外治安総局	DGSE（Direction Générale de la Sécurité Extérieure）
イスラエル	諜報特務庁	MOSSAD
中国	国家安全部	MSS（Ministry of State Security）
オーストラリア	機密情報局	ASIS（Australian Secret Intelligence Service）
インド	研究分析局	RAW（Research and Analysis Wing）
パキスタン	軍統合情報局	ISI（Inter-Services Intelligence）

その人の電話を押収し、電話会社のメタデータをもとにすれば、誰に電話をかけたかが全部わかるわけ。そして、そのかけた相手がさらに誰に電話をしたのかっていうこともすべてわかります。こうしてテロのネットワークを一網打尽にしようというのが、アメリカのNSAのねらいです。

これまで見てきたように、アメリカは世界中に軍事基地を置き、そして、CIAやNSA、軍の諜報機関DIA（アメリカ国防情報局）などを使って、世界中の情報を集め、その情報をもとに、さまざまな戦略を立てているということですね（p188図表⑱）。

――私たちのプライバシーって守られないのですか？

守られません（笑）。おかしいでしょう。われわれが携帯電話でやりとりしている内容がアメリカに勝手に傍受されている。だけど、アメリカ軍の三沢基地の中で起きていることに対して、日本は手出しができないでしょう。

一方で、ファイブ・アイズが収集した情報の中で日本にとってプラスになることがあれば、アメリカが日本に伝えてくれます。日本側にもメリットがあることだから、見て見ぬふりをしている、こういう現実があるということですね。

図表⑱―**アメリカ政府の情報機関** | 出典：Office of the Director of National Intelligence

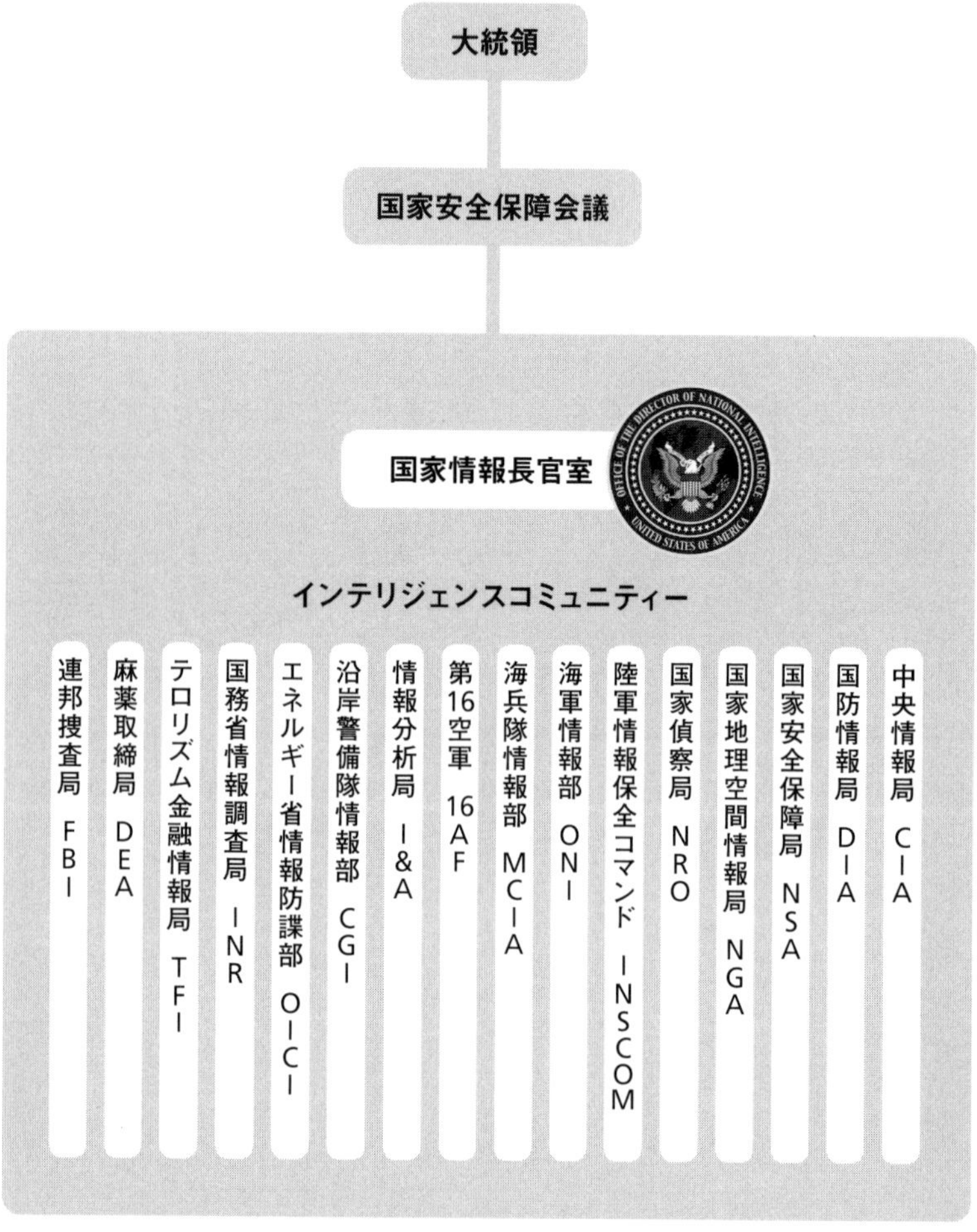

アメリカ大統領は毎朝ＣＩＡから説明を受ける

アメリカのＣＩＡには、毎日、世界中から膨大な情報が上がってきます。それを分析し、いわゆるＡ４用紙１枚のようなかたちでまとめて、毎朝８時に大統領に対してブリーフィング、つまり世界の情勢はこうです、という簡単な状況説明をすることになっています。ちなみにトランプ大統領は、午前中は出てこなかったそうです。ホワイトハウスは４階建てになっているのですが、３階の自分の寝室からなかなか出てこない。午前中はぐだぐだ、フォックスニュースを見て、朝８時からのＣＩＡのブリーフィングができない。

それで、気が向いたら、週に２回くらい、午後になってからＣＩＡのブリーフィングを受けたそうですね。だけど、だいたい彼は集中できないので、ＣＩＡの報告をちゃんと聞いていない。途中で自分の自慢話が始まる。結果的に情報がちゃんと伝わらなかったといわれています。本来は、毎日、アメリカの大統領は世界中の情報をチェックできる仕組みになっているのです。

――**ＣＩＡのスパイって、どうやって選ばれるのですか？**

映画やテレビドラマを見ていると、ムキムキだったり、ものすごく格闘技が強かったり、銃を撃ち合ったり、殺し合ったりするでしょう。あんなことは一切ないですからね（笑）。

CIAには、「ケース・オフィサー」と、情報の「分析官」の2タイプの諜報部員がいます。ケース・オフィサーは、それぞれの国のアメリカ大使館に書記官として派遣され、その国の中でスパイを一生懸命養成する、あるいは、その国の人を情報提供者にしようとする、そういうことをするのが仕事です。こういう人たちはそれなりのいろんな訓練を受けるわけですね。

一方で、分析官は、世界中から集まるインテリジェンスをひたすら分析する、頭脳労働ですね。だから、青白い、見るからにインテリという人たちが、実はCIAの分析官には圧倒的に多いです。

そういう人たちはどうやって選ばれるかというと、ハーバード大学やスタンフォード大学で、非常にいい成績を取ると、教授から、「君、国のために尽くす気持ちはないかね」と、声をかけられる。つまり、リクルーターの教授がいるということです。アメリカのいわゆる有名大学、非常にレベルの高い大学にはCIAのリクルーターの教授がいます。

もちろん、自分からも応募できます。実際、CIAは雑誌やインターネットを通じて募集広告も出しています（左ページ写真⑩）。でも、自分から応募してきた人間に関しては、外国のスパイかもしれないので、外国のスパイではないのか徹底的に調べるわけですね。私が話を聞いた人は自分から応募したそうですが、何度も何度もうそ発見器にかけられた。もう、嫌になるほど、徹底的に調べられたと言っていました。

――ケース・オフィサーがスパイだとばれたら、どうなるのですか？

ケース・オフィサーは、それぞれの大使館の書記官で派遣されれば、外交特権があります。外国の大使館員は逮捕されることがない。スパイ行為が明るみに出て、「ペルソナ・ノン・グラータ」（望ましからざる人物）という通告を相手国から受けると、国外退去処分になる。それでおしまい。つまり無事なのです。だけど、ケース・オフィサーは、その国のいろんな人たちをスパイにしているので、その人たちはその国の法律によって裁かれ

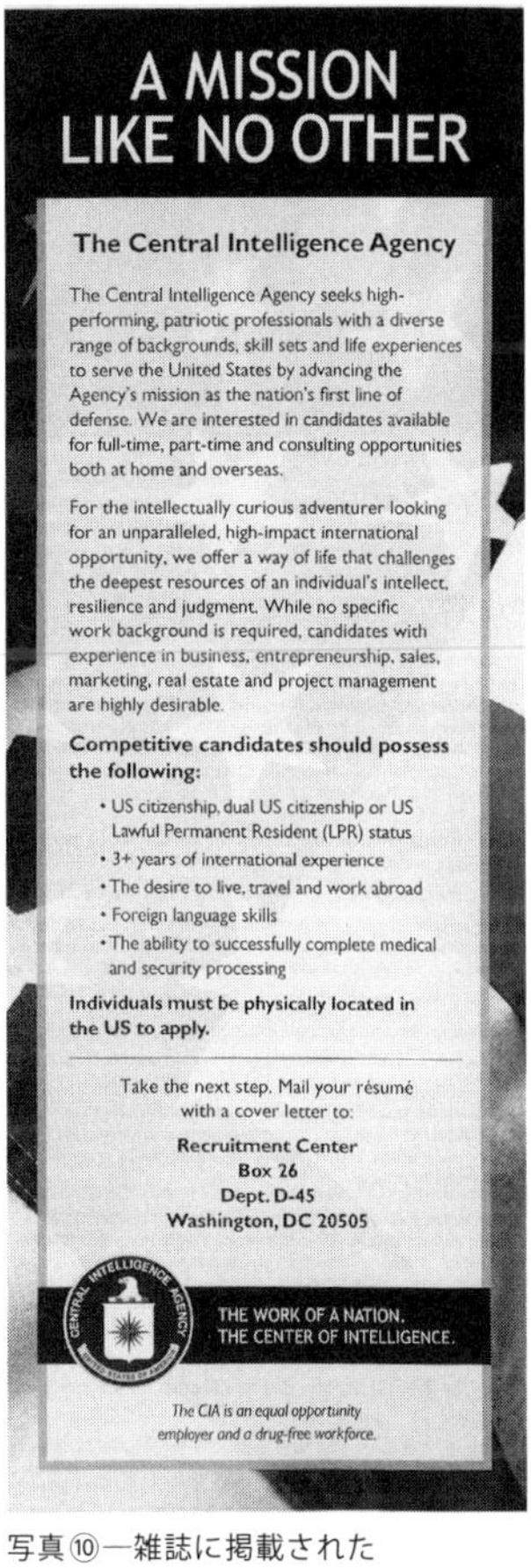

写真⑩―雑誌に掲載された
CIAの求人広告

ることになります。

比較的最近のことですが、2010年ぐらいですね、アメリカのCIAが中国でスパイにした人たちが、次々に捕まって処刑されたという記事が「ニューヨーク・タイムズ」に出ました。政府の高官だったり、あるいは、軍の中堅幹部になったりしている人たちをアメリカのCIAのスパイにすることができたのですが、見破られてしまって、少なくとも12人が殺害されたということがわかっています。それ以来、アメリカは中国国内での情報が全然手に入らなくなってしまったということですね。

なぜこの12人の正体が明らかになったのか。CIAの中に中国のスパイも入り込んでいて、そのスパイによって、ばれたのではないかという説と、スパイの12人とCIAが秘密の連絡を取っていて、その暗号システムが中国側によって見破られてしまったという両方の説がありますが、いまだにはっきりしていません。

ただし、このところ、CIAの中に入り込んでいるスパイ狩りが激しくなっています。最近、香港出身でアメリカ国籍を持ち、CIAで働いていた要員が、CIAあるいはFBIの情報を中国に漏らしていた容疑で逮捕されたという話があります。結局、それぞれのスパイが激しい情報収集をする過程で、相手国のスパイ組織の中に自分のスパイをつくるということも、またしているのだということですね。

スパイの話が好きなものだから、つい長くなってしまいます（笑）。ここまでのところで何か質問はありますか。

――僕は4年くらいカタールにいたんですけど。その時、ちょうど外交危機が起きて、UAEとかサウジアラビアがカタールと国交断絶したじゃないですか。カタールに米軍基地があるので、どうなっちゃうのかなって結構現地で話題になっていたのですけど、もしアメリカ軍基地がある国で革命が起きて、敵国になってしまった場合、どうなっちゃうのですか？

ああ、いい質問だね。君が言う「カタールの外交危機」は2017年に、カタールがサウジアラビアを中心とする近隣アラブ諸国から国交断絶措置を受けた時のことだね。背景にはサウジアラビアと対立するイランに、カタールが接近したことがありました。

あの時、トランプ大統領は当初、カタールを非難し、高額な武器を大量に買ってくれて、関係が良好なサウジアラビアの肩を持ちましたね。実は、カタールにアメリカの基地があることをトランプは知らなかったといわれています。カタールに駐留するアメリカ軍は慌てたはずです。あとから、カタールにアメリカ軍基地があることを伝えたのでしょう。トランプはカタールの悪口を言わなくなりました。

世界中に、アメリカ軍基地がなんのためにあるのか。当然、そこの国でクーデターなり、革命が起きた場合、それを阻止するためにアメリカ軍基地は存在しているのです。

1970年代後半のジミー・カーター大統領の頃に、サウジアラビアの周辺にアメリカ軍基地がなんのためにあるのかと聞かれたら、カーター大統領が、「サウジアラビアはアメリカに大量の石油を売ってくれている国だ。そして、アメリカの大量の兵器を買ってくれている国だ。もしサウジアラビアでクーデターが起きて、石油を売らないなんていうことになったら、周りのアメリカ軍基地からサウジアラビアに侵攻し、それを阻止する」と正直に言ってしまったのです。

すごいでしょう。今は、まあ、そんなあからさまなことは言わないけど、カーター大統領はそんなことを言っちゃった。中東になぜアメリカ軍基地があるかというと、石油を維持するため、ということです。よろしいですか。はい、ほかにありますか。

――ここに基地があるっていうことが敵国にばれたら、そこが狙われてしまうと思うんですけど、アメリカは軍の基地がある場所を隠したりはしないのですか?

それは、だって、もう、グーグルアースで全部丸見えじゃない。隠せないよね。軍事基地には、当たり前だけど、戦車があったり、装甲車があったり、あるいは、戦闘機や爆撃機があるわけでしょう。それらを隠せないよね。だから基地というのは全部オープンになっています。

でも、戦闘機や武器や兵器がない秘密の施設というのは、当然、あちこちにあるだろうね。だけど、それはもちろんオープンにされていないということです。よろしいですか。
はい、ほかにありますか。

――今、コロナの状況を回復させるのが政治的な最大の戦略だと思うのですが、CIAやNSAという諜報機関は、具体的にコロナ解決のために動いているのですか？

そもそもコロナは中国の武漢から始まったっていわれているでしょう。だから、当然、アメリカのCIAにしても、あるいは、イギリスMI6にしても、本当に武漢の研究所からウイルスが漏れたものなのか、あるいは、そうではないのかっていうのを、一生懸命なんとか情報を集めようと必死になっていることは事実だよね。

アメリカには「アメリカ疾病予防管理センター（CDC）」という、世界中の感染の情報を収集し、それを分析する、世界で最も感染症に詳しい専門組織が、ジョージア州のアトランタにあります。北京にもCDCの職員が派遣されていたのですが、トランプ政権が、こんなものはむだだと言ってやめてしまっていました。

それまでは、CDCが中国の国内での感染症の情報を集めることができていたのですが、トランプ政権になって、中国の感染症の情報が入らなくなっていたということがあります。最初から出遅れてしまったわけだよね。トランプは、自分が数十万人の命を救ったと言っていますが、あれだけ感染者、死者が出ているのは、やっぱり、トランプ政権の責任、失策ということになるよね。

　コロナ関連で言うと、世界保健機関（ＷＨＯ）は、世界中のＳＮＳで、変な病気とか、新しい肺炎とか、そういう言葉が出てくれば、それを常にピックアップして収集するシステムを構築しています。

　２０１９年の12月30日の段階で、「中国の武漢で新型肺炎」というのが中国のＳＮＳにいっぱい出ているのをＷＨＯがキャッチしていて、中国に問い合わせをしていました。中国は、武漢の新型肺炎が広がっていると、自ら公表したと言っていますが、実際はＷＨＯの問い合わせがあったので、あわてて発表したのです。

　だから、何もスパイ活動だけでなく、公開情報からインテリジェンスを引き出すことも可能なのです。

第6章

教育制度から見るアメリカ

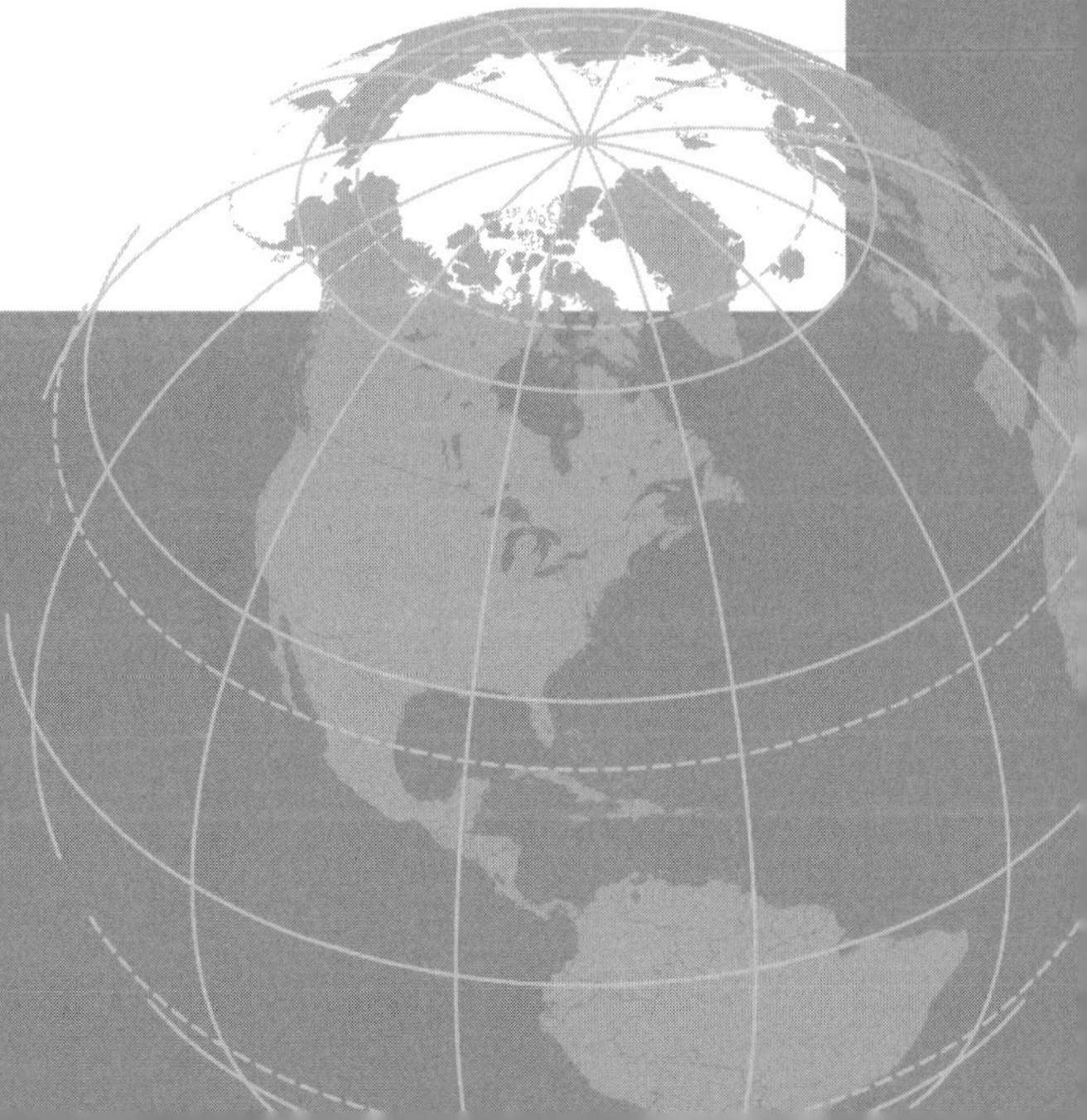

アメリカの教科書はものすごく分厚い

アメリカは、各州に独自の法律があるように、教育制度も州によってずいぶん異なります。教育制度は、8—4制、6—3—3制、6—6制、5—3—4制など、さまざまです。1960年代まで多かったのが6—3—3制で、戦後の日本の制度として導入されました（左ページ図表⑲）。

義務教育は年限も州によって異なりますが、最も長い州で5歳から18歳までとなっています。開始年齢は6歳の州がいちばん多く、高校卒業まで初等中等教育期間とされています。義務教育の間は公立であれば学費がかかりません。

アメリカの学校でいちばん驚くのは、教科書がものすごく分厚いことだよね。みんなの中で、アメリカにいたことのある人はいますか？　あ、いますね。教科書はすごく分厚かったでしょう？

――**分厚かったです。**

日本に戻ってくると、日本の教科書が薄いのにびっくりするでしょう。アメリカで、その分厚い教科書を全部やった？

図表⑲—**アメリカの学校系統図**｜出典：文部科学省『諸外国の教育動向2011年度版』より

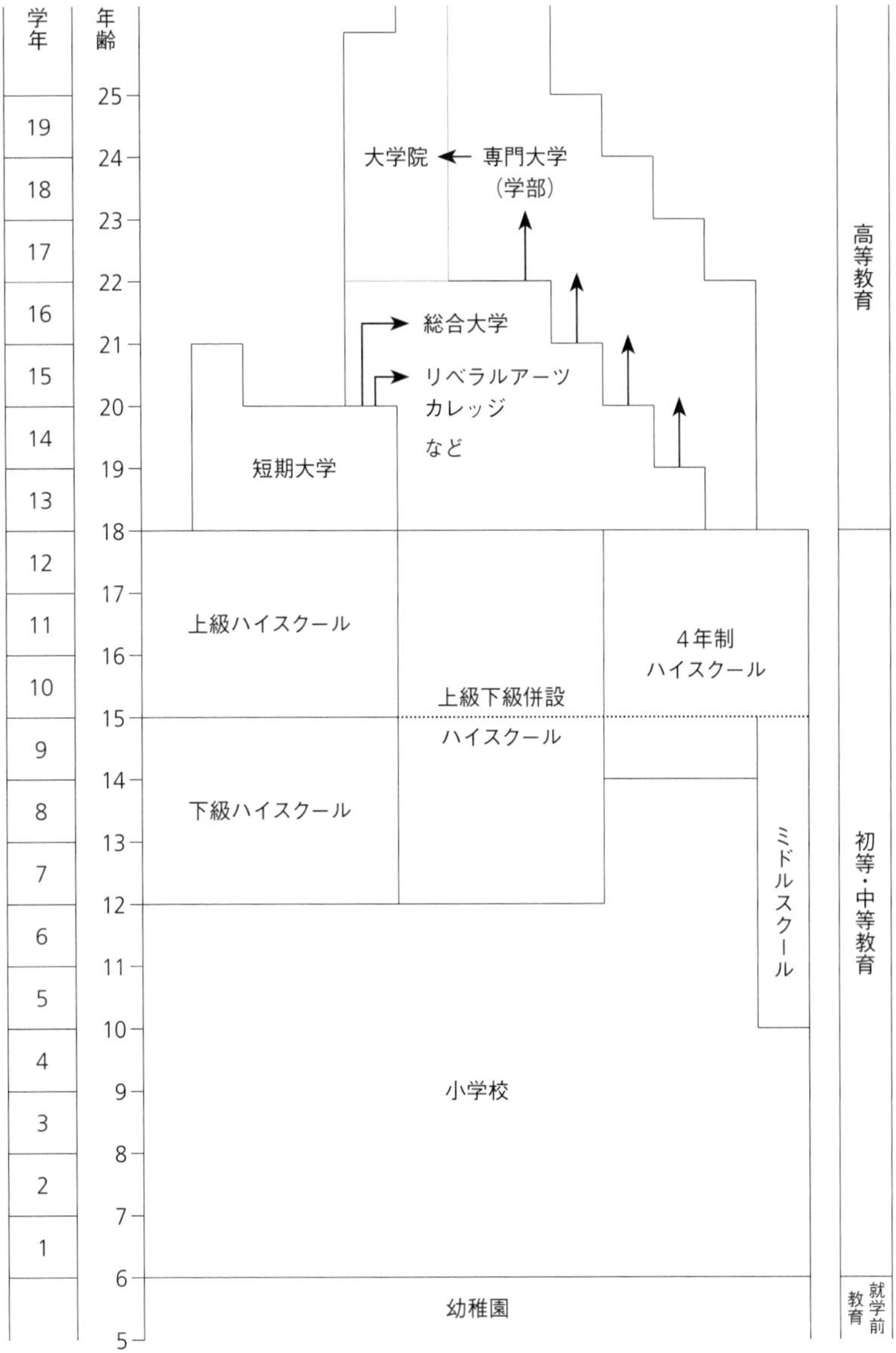

＊この図は大まかなアメリカの学校系統を表すもので、いくつかのパターンがまとめられている。ただし、すべてを記したものではない。高等教育の進学方法は、日本と違い、さまざまな選択肢があることがわかる（矢印は短期大学、大学の途中からのさらなる進学の選択肢を示している）。ミドルスクールとは、専門的な教科が増える上級ハイスクールにスムーズに進学できるよう設けられた学校システム。

――やっていません。

やってないでしょう。全部なんかやれっこないわけ（笑）。実際にアメリカの学校の先生たちは教科書を全部教えることはしません。自分が教えたいところだけ教えて、あとは教科書を読んでおいてね、というスタイルなのです。でも、教科書は貸与制で、分厚くて重いから、家に持ち帰ってまた持ってくる、ということもしないですね。

――なぜ、教科書が分厚いのですか？

信じられないかもしれないけど、そもそも学校の先生を信用していないのです。先生にもいろんなレベルの人がいて、ちゃんと教えられない人がいるかもしれない、という前提に立って、教科書は読めばわかるように、懇切丁寧につくられているのです。

アメリカでは、一般的に学校の先生の社会的地位が、日本よりずっと低いのです。9月に新学期が始まって6月が終業式・卒業式でしょう。学校の先生は、夏休みは仕事がなくなります。年間10か月契約を基本としているので、7月、8月は、どこかでアルバイトをして稼ぐのが教師の一般的な働き方なのです。これでは、やっぱり優秀な人材が集まらないし、社会的な信用も得られません。

その点、日本の先生のレベルは総じて高いので、先生が授業で教科書の内容をさらに広げたり、深めたりできるから、教科書をそんなに分厚くする必要がないわけです。

――読めば独学できる教科書でも、学校に置いたままだったら、いつ読んでいるのかなって気になるのですが……。

読まなくていいの（笑）。本当にやる気があるとか、親が教育熱心なら、参考書を買って勉強したり、家庭教師が教えたりしますから。そういう家庭と、学校で教わったことだけでいいよという家庭では、子どもの学力差がどんどんついてしまうということだね。

また、アメリカには「学習指導要領」のような国家基準はありませんでしたが、各州が定める学力水準にバラつきがあったため、オバマ政権下で全米共通の学力水準（「コモン・コア・スタンダード」）が定められました。どんな教科を何時間教えるか決めるのは州の教育委員会ですが、多くの場合、州の市や町単位で定めた「学区」の教育委員会に権限を委譲しています。公立学校は、この「学区」の中に住んでいる人たちの税収で運営されています。だから、富裕層の多い学区と、低所得層ばかりの学区では、教師や指導内容の質に著しい格差があるのが現状です。

教育委員は一般市民から選挙で選ばれます。第1章で、大統領選挙の投票用紙の話をしましたが、州政府の議員や裁判官などの幹部も、同時に選ぶのだったよね。あの中には、教育委員も入っています。

アメリカでは、地域住民の代表が、選挙で教育委員に選ばれ、自分たちの子どもたちが、どんな教育を受けるべきか決定するのです。一般人が専門的な分野に意見を述べるという点では陪審員裁判と共通します。陪審員裁判は、一般市民が被告を裁く制度でしたね。裁判のような専門的な分野でも、一般市民の「素人の叡智」を信頼して尊重するやり方です。教育の分野でも、同じように「素人の叡智」を信頼するのです。

日本でも、戦後、アメリカの教育委員会制度が導入されて、当初は一般市民から選挙で教育委員を選んでいました。ところが、教育委員を選挙で選ぶ仕組みは「教育委員選挙が政争の道具になっている」という批判が出て、都道府県知事、市町村長が任命する仕組みになってしまいました。「素人の叡智」でなく「お上《かみ》」が決定する方法になったのです。アメリカと日本の考え方の違いが明らかですね。

ホームスクーリングが認められている

――私はアメリカに住んでいた時に、普通に学校に通っていたのですが、あまり学校に来ない子とかはホームスクーリングにしていました。ホームスクーリングの制度がよくわからないので、知りたいのですが。

いい質問をしてくれました。アメリカでは、自宅で教育を受けることが認められていて、ホームスクーリング（homeschooling）といいます。これは日本と大きく違う点です。アメリカの場合、自分たちのことは自分たちで決める、というのが徹底していて、教育委員も選挙で選ぶでしょう。同じように、子どもの教育は親が決めることだ、という考え方が基本にあるので、ホームスクーリングという仕組みが全州で認められているのです。

家庭でどんなふうに学ぶのかというと、その実態はさまざまです。親がつきっきりで教えたり、オンライン教材を通して学んだり。あるいは、特定の科目だけ自宅で勉強してあとは学校の授業を受けに行ったり、図書館などの学校以外の教育施設で学んだりします。学区や州の教育委員会に届け出れば、ホームスクーリングが認められます。米国教育統計センター（ＮＣＥＳ）によれば、全米でホームスクーリング教育を受けている児童生徒は約１５０万人います（２００７年調べ）。

ホームスクーリングを選択する家庭の背景には、多くの場合、宗教上の理由があります。アメリカには、キリスト教の聖書に書いてあることが一字一句すべて真実だと考える人たちがいます。キリスト教原理主義、あるいは福音派と呼ばれる人たちです。

彼らは、聖書の中に書かれている神さまがアダムとイブをつくった話や、大洪水でノアの方舟《はこぶね》に乗ったもの以外は滅びてしまった話を信じています。聖書の記述を分析して計算すると、宇宙が誕生してから、まだ６０００年しか経っていないそうです。

福音派の人たちにとって、最も問題なのがダーウィンの「進化論」です。人間の祖先がサルの仲間だなんて到底認められない暴論というわけです。彼らは学校で「進化論」を教えることに抵抗があり、子どもを学校に通わせずに家で教育をするケースが多いのです。

ほかに、近年増えているホームスクーリングの理由としては、学校で銃の乱射事件が起きるなど安全確保に不安があったり、地域格差で教育の質に不満があったりすることが挙げられます。

さらに、学区と学校で審査をして認められれば、先生を自宅に派遣して、自宅で学習させるシステムもあります。病気による長期欠席や精神的困難で不登校になった児童生徒が対象です。先生を派遣する費用がかかるので、審査は厳しいそうです。

――家での学習で、誰もが義務教育レベルのことをしっかり身につけられるのでしょうか?

本当に家庭でちゃんと学ばせているかどうかをチェックするために、教育委員会がホームスクーリングを受けている家庭に関しては、定期的に試験を行っています。これが、歯止めになっているわけですね。

多様性を尊重する教育

アメリカの教育制度は本当に多種多様ですが、もうひとつ、「チャータースクール（charter school）」の話をしておきましょう。チャータースクールは、公設民営の初等中等学校です。「チャーター」とは認可状のこと。父母や地域住民、教員グループ、ＮＰＯなどが、学区教育委員会から認可を受けて、独自の理念のもと、成果を上げることを約束して、特色のある教育を行う学校です。そのかわり、公費を受け取るので、成果が上がっていないと判断されれば、認可を取り消されてしまいます。つまり廃校になってしまうわけです。

１９８０年前後、学区（地域）で人種や所得階層のすみ分けが進み、公立学校が荒廃して学力低下が問題になりました。多様な教育サービスが求められる中で、１９９２年、ミネソタ州で最初のチャータースクールが誕生します。１クラスの生徒数が、公立学校の場合約40名なのに対し、20名くらいの少人数にして、きめ細かい指導を行うのが特徴です。

その後、全米に広がっていき、２０１６年のＮＥＣＳの調査では約２８０万人の児童生徒がチャータースクールに通っています。学校の数は増加していますが、すべてのチャータースクールが成功しているわけではなく、一定の学力に達しない学校も少なくありません。成否については、まだ判断できない状況です。

日本では、２０１３年に第二次安倍内閣が制定した「国家戦略特別区域法」により、公立学校の運営を民間に委託する「公設民営学校」をつくることが可能になりました。そして、2019年4月に、日本初の公設民営校、大阪市立水都《すいと》国際中学校・高等学校が開校しました。この学校は、大阪市教育委員会によって設立され、学校法人大阪YMCAが運営を委託されています。民間のアイデアやノウハウを活かした公立の中高一貫校として注目されています。

――アメリカでは、教育制度が自由というか、いろいろな選択肢がありますね。それはなぜでしょうか？

私が学生の頃、アメリカは「人種のるつぼ」といわれていました。「るつぼ」とは、金属を溶かして混ぜ合わせる容器のことです。いろんな人種がひとつにまとまるという意味で使われていました。その時代は、アメリカの学校でも、さまざまな民族を「アメリカ市民」としてまとめて育成する役割が求められました。

しかし、今ではアメリカは「サラダボウル」といわれるようになっています。ボウルの中でキュウリやトマトがそれぞれ自分を主張しながらも、おいしいサラダになっている。さまざまな文化を持つ民族が、自分の個性を残したまま「アメリカ市民」になればいい、という考え方ですね。

学校教育も、時代の流れに沿って、多様性を尊重する教育へシフトしたので、学び方もひとつではないのです。英語を母語としない移民や外国人の子どもたちは、公立学校で「英語」の授業を受けられます。また、特別の才能があると判断された児童生徒には英才・才能教育の特別なプログラムが用意されています。小中学校でも、飛び級や留年があります。多種多様な教育制度があるのがアメリカの特徴なのです。

アメリカの入試はすべてＡＯ入試

アメリカは、やっぱり、ものすごい格差社会だということが、高校レベルから鮮明になってきます。地方の公立高校の学力水準は、そんなに高くありません。公立高校は、その学区の生徒たちの義務教育を修了させるのが役割で、大学進学のための準備勉強はしません。一方、私立高校のほとんどは大学進学校で、準備勉強に力を入れています。当然ですが、一般的に私立高校のほうが公立高校より学力が高いのです。

中でもボーディングスクール（Boarding School）という全寮制（または寮生と通学生の混合形式）の学校は、自然に恵まれた広大なキャンパスの中で、教育や生活面で万全の支援を受けながら、ハーバード大学やスタンフォード大学を目指して勉強する私立のエリート校です。学費は、年間約５万ドル（約５２５万円）、寮費込みだと約７万ドル（約７３５万円）。まさに富裕層の子弟のための学校ですね。全米にボーディングスクールは約３

00あるそうです。

大学入試制度は、日本とアメリカで全然違いますよね。日本では、国公立の場合は大学入試センター試験、今度から「大学入学共通テスト」になりましたが、それをまず受けるでしょう。その成績によって、それぞれ個別の大学に申し込みをし、各大学で二次試験をするというやり方をとっています。

アメリカの場合は、「SAT《エスエーティー》」という、国語（つまり英語）と数学に関する共通テストをまず受けます。これは民間の会社に委託されていて、年間に何回もやっていて、何回受けてもいい。その中で一番いい成績の点数を志望の大学に送ります。SATと同様の共通テスト「ACT《エーシーティー》」というのもあって、こちらでも受験できます。

基本的に、まずは共通テストで学力を見る。あとは、小論文の課題が与えられて、それを書くのと、最低ふたりに推薦をお願いする。学校の先生とか誰かに、この人はこんなに優秀だっていう推薦文を書いてもらいます。

内申書も非常に重視されます。名門大学では、勉強以外の活動もがんばってやっていないと受かりません。高校での学業成績、クラブ活動、ボランティア活動などの記録を大学側に送ります。そのうえで、大学の面接を受けて、合格を決めるというのが一般的なやり方です。

アメリカの大学には、アドミッションズ・オフィス（Admissions Office／入学管理局）という専門機関が常設されていて、1年間を通じて、翌年の9月に誰を入学させるか、ということを決めるシステムになっています。アメリカの入試はすべてAO入試です。

日本のAO入試は、アメリカのAO入試を真似して導入しました。それにしても、日本の大学の先生は大変です。先生が試験問題をつくり、採点し、面接をして合否を決める。アメリカの場合は、誰を入学させるかは、アドミッションズ・オフィスという専門機関が担当します。だから、アメリカの大学の先生は入試業務に一切タッチしません。名前は同じAO入試ですが、やり方がまったく違うのです。

それから、SATの問題って、みんな見たことあるかな。信じられないくらいやさしいでしょう。数学のレベルなんて、日本の中学校レベルじゃないかというくらい。実はアメリカは、高校までの数学レベルが低いのです。日本の高校生がアメリカの高校に留学すると、英語ができなくても、数学は簡単にトップレベルになれるでしょう。そのかわり、大学に入ってからは、アメリカの学生は徹底的に勉強しますが。

日本の大学は、入るのが難しくて出るのがやさしいといわれます。アメリカの場合は、入るのはやさしいけれど、出るのが大変になっているわけですね。それでも、アメリカの超一流大学では卒業する学生の割合は高くなっています。

アメリカは学歴社会であり、学校歴社会でもある

Q 日本とアメリカ、どちらが「学歴社会」だと思いますか？

――**日本だと思います。**

なるほど、やっぱりそう思うかな。「日本は学歴社会だが、アメリカは実力主義」と、よくいわれるよね。でも、日本は学歴社会ではなく「学校歴社会」というべきでしょう。どこの大学を出たかが重視され、大学院を出ても就職に有利にはならない。これでは言葉の本来の意味の「学歴社会」ではありませんね。

一方のアメリカは、「実力主義」と思われていますが、大学へ行かずにビジネスで成功する人は、ごくわずかです。アメリカは学歴社会であり、学校歴社会でもあります。高校卒と大学卒では、就職する時、大きな差が出るので大学進学率が高いのです（p212図表⑳）。また、4年制大学を卒業しただけでは、エリートコースに進むのが難しいのです。

――**そうなのですか!?**

ＣＥＯとか経営のトップレベルに行くには、大学院の修士か博士まで進むのが一般的になりつつあります。これこそ本来の意味の「学歴社会」といえるでしょう。

さらに、アメリカは「学校歴社会」でもあります。ハーバード大学やスタンフォード大学を出ていると、社会的評価が高まります。もちろん、就職でも有利になるのです。アメリカでは、「学歴」も「学校歴」も求められ、日本より厳しいといえるでしょう。

そして、アメリカには国立大学が存在しないということ、これはみんな知っていた？

——はい。

さすが国際高校ですね。ハーバード大学は国立大学ではなく、私立大学なのです。公立は、ステート・ユニバーシティ（State University）という州立大学はありますが、ほとんどは私立大学です。

日本の場合は、明治維新以降、日本という国をこれから豊かに強くしていくために、とにかく優秀な人材が必要だということで、国が学校をつくっていったわけだよね。だから、基本的に、国立大学がある。その一方で、慶應や早稲田のような私塾、民間の学校も大学として認めてあげましょうとなって、あとからこれが認められた。そもそも帝国大学という、国立大学ありきだったわけです。

アメリカの場合、ハーバード大学はアメリカ建国（１７８３年）より古いんだよね。まだイギリス植民地時代の１６３６年に設置されましたから。アメリカという国ができる前からハーバード大学はあった。つまり、ボストンに大勢のピューリタンたちがやって来た。

図表⑳—**各国の大学進学率ランキング**｜出典：OECD『Education at a Glance 2012』

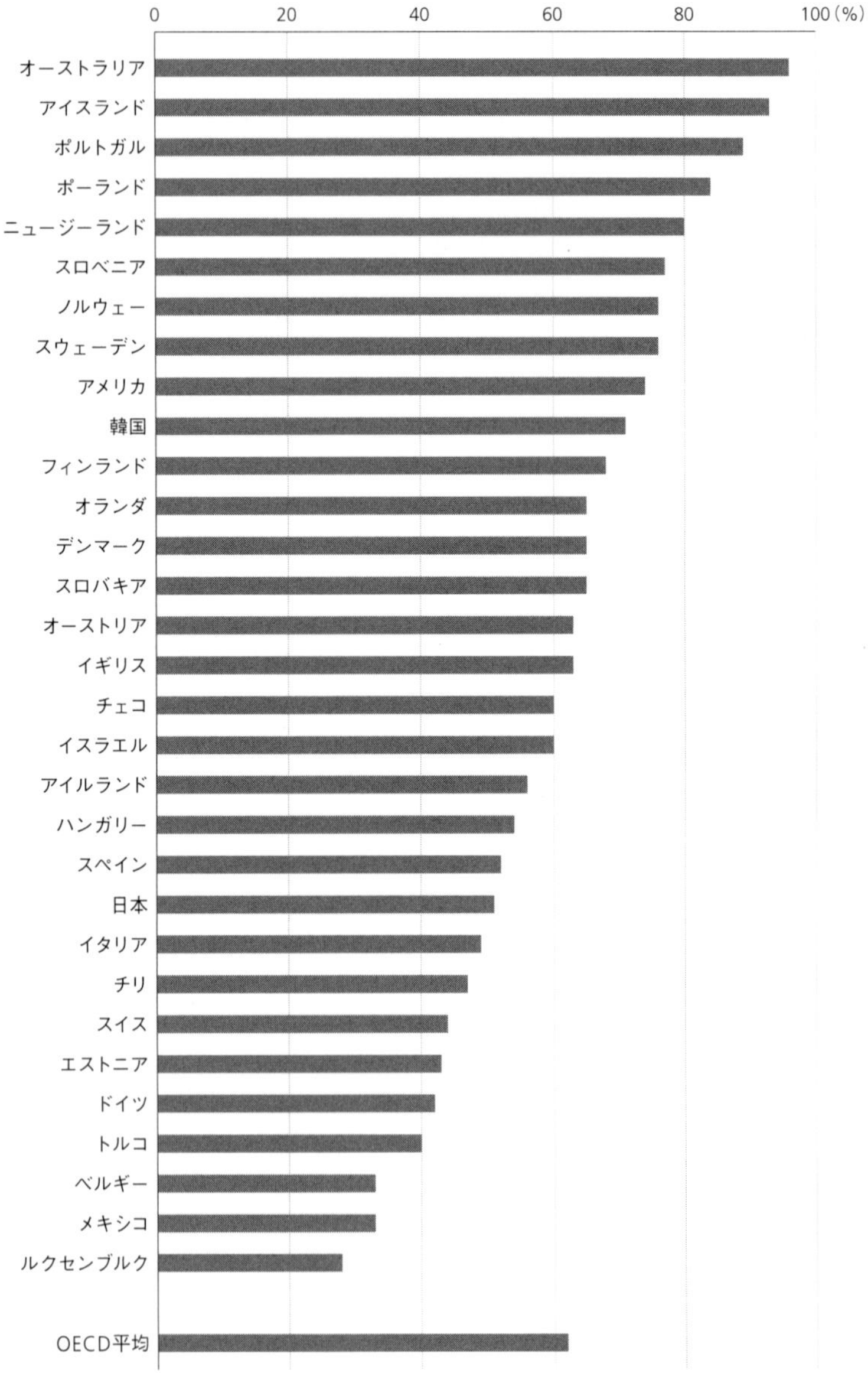

＊データは2010年のもの。それ以降にOECDに加盟した7か国は含まれていない。
アメリカのみ2年制大学を含む

当然、教会が必要になります。アメリカで教会をつくるためには牧師を養成しなければならない。牧師を養成するための神学校としてハーバード大学はスタートしました。そして、さまざまな学部があとからできたわけです。

アメリカは、そもそも私立大学ありきだったから、国立大学をつくろうという発想は生まれませんでした。そのかわり、州が人材養成しようとして、州立大学をつくりました。だから、カリフォルニア州立大学でいえば、カリフォルニア州に住んでいる人の学費は比較的安いけれど、ほかの州の人がカリフォルニア州立大学に入学しようとすると学費が高くなるという、こういう仕組みになっていますね。

莫大な寄付をすれば名門大学にも入れる

アメリカの大学の多くは私立大学です。私立だから、誰を入学させるかは、それぞれの大学が自由に決められます。

日本だと、国立大学は、国民の税金で運営されているから、恣意的な入試が行われると大問題になるでしょう。私立だって、親が莫大な寄付をしたおかげで、出来の悪い子どもを入れるとわかったら「裏口入学だ」と大問題になりますね。アメリカでも不正入試事件が摘発されたことはあります。しかし、莫大な寄付をした場合は別です。

たとえば、ジョン・F・ケネディというアメリカの大統領がいたでしょう。彼は大変成績が悪かったんだよね。成績が悪かったのになんでハーバード大学に入れたかといえば、父親がとてつもない大金持ちで、ハーバード大学に莫大な寄付をしたから、といわれています。あくまで「いわれています」(笑)。裏を取れたわけではないのですが、そういわれていますよね。

トランプの言動に眉をひそめる人は多いですが、彼がアイビー・リーグの名門ペンシルベニア大学を出ていることから、「一定の知識と教養は備えているのだろう」と人々は見てきました。実はトランプは、ニューヨークの私立大学に入学後、ペンシルベニア大学に編入しています。「トランプの父親も大金持ちだったから、ひょっとして」といわれていますね。あくまで「いわれています」(笑)。

さらに、トランプの娘のイヴァンカ氏もペンシルベニア大学を出ていますが、親が莫大な寄付をしたからだといわれています。あくまで「いわれています」(笑)。トランプ家は親子二代でそう思われているわけです。

その場合の莫大な寄付とは、1億円、2億円ではありません。よくアメリカの大学に行くと、寄付をしてもらったお金で建てたビルに、寄付をしてくれた人の名前がついています。それくらいの、数十億円単位の寄付をしてくれた人の子弟は優遇される、ということなのです。これはすごく割り切っているわけ。

つまり、出来の悪い学生をひとり入れたって、卒業するのが難しいから、卒業させなければいいわけだし、その出来の悪い学生をひとり入れたことによって、数十億円のお金が入れば、それで研究施設を充実させることができる。

あるいは、成績優秀だけど、家が貧しいから入学できない人に奨学金を出して入学させれば、トータルとして大学にメリットがあると、こう割り切っているわけね。私立大学といっても、こういう割り切りが、日本とはまったく違うところなのです。

学費を上げる一因になった「大学ランキング」

学費のレベルでいうと、学費は私立だからどうしても高いですね。たとえば、ハーバード大学で年間、日本円にして500万円くらいかかるでしょう。私立大学の平均で360万円、4年間だと1500万円です。

日本の場合、今、国立大学は年間50万円以上、私立大学の平均が90万円くらいだよね。私立は国立の1・6倍です。私が受験生だった頃、東大は年間1万2000円で、早稲田・

慶應は年間8万円でした。6・6倍だよね。国立大学と私立大学の学費が大きく違いすぎて、もっと私立と国立の差を縮めるべきだという議論があったのですが、6・6倍が1・6倍に縮まったわけですね。私立大学の学費を抑えようとしたのに、国立大学の学費がどんどん上がっちゃって、結果的に、差が縮まったということです（左ページ図表㉑）。

アメリカの大学の先生、たとえば、ハーバードとかスタンフォードとかマサチューセッツ工科大（MIT）になると、いわゆる「スター教授」というのがいます。ノーベル物理学賞とか化学賞をとったような先生は大学にとっての宣伝材料になるから、ものすごく高いお金でリクルートされます。

日本の場合、国立大学の先生の給料は、そんなに高くないわけだよね。国立大学では教授で年間800万円ぐらいかな。定年退職直前に1000万円を超えるくらいです、国立大学の場合（p218図表㉒）。私立大学もそんなに高くありません。

アメリカの場合、全然違います。ノーベル賞を取ったっていうと、3000万円とか4000万円とかで引き抜かれるのはごく当たり前です。日本はスター教授を引き抜くなんてできなかったのですが、とても優秀な海外の研究者に関しては、特別な給料をあげてもいいから引っ張ってもいいですよ、という仕組みができてきました。だから、私が特命教授を務める東京工業大学でも、海外からずば抜けた研究者を呼ぶ時には、特別に2000

万円まで給料を出してもいいということになりました。

　アメリカではとにかくスター学者は何千万円でも引っ張ってくる。となると、私立だから、そのための費用はどこから出すのか。要するに、入学金や学費を高くする。あとは寄付だよね。卒業生からの寄付を集めるというかたちでやるしかないわけだ。それでも、いわゆるスター教授がいるような大学というのは、学費が非常に高くなりますね。しかし、学費が結構安い大学というのも、過去にはあったのです。

　実は学費がどんどん上がり始めるきっかけというのがありました。それは、『USニューズ&ワールドリポート』というニュース週刊誌。今は、経営悪化で週刊誌とし

図表㉑―**日本の大学の授業料の推移**（1975～2015年）｜出典：文部科学省

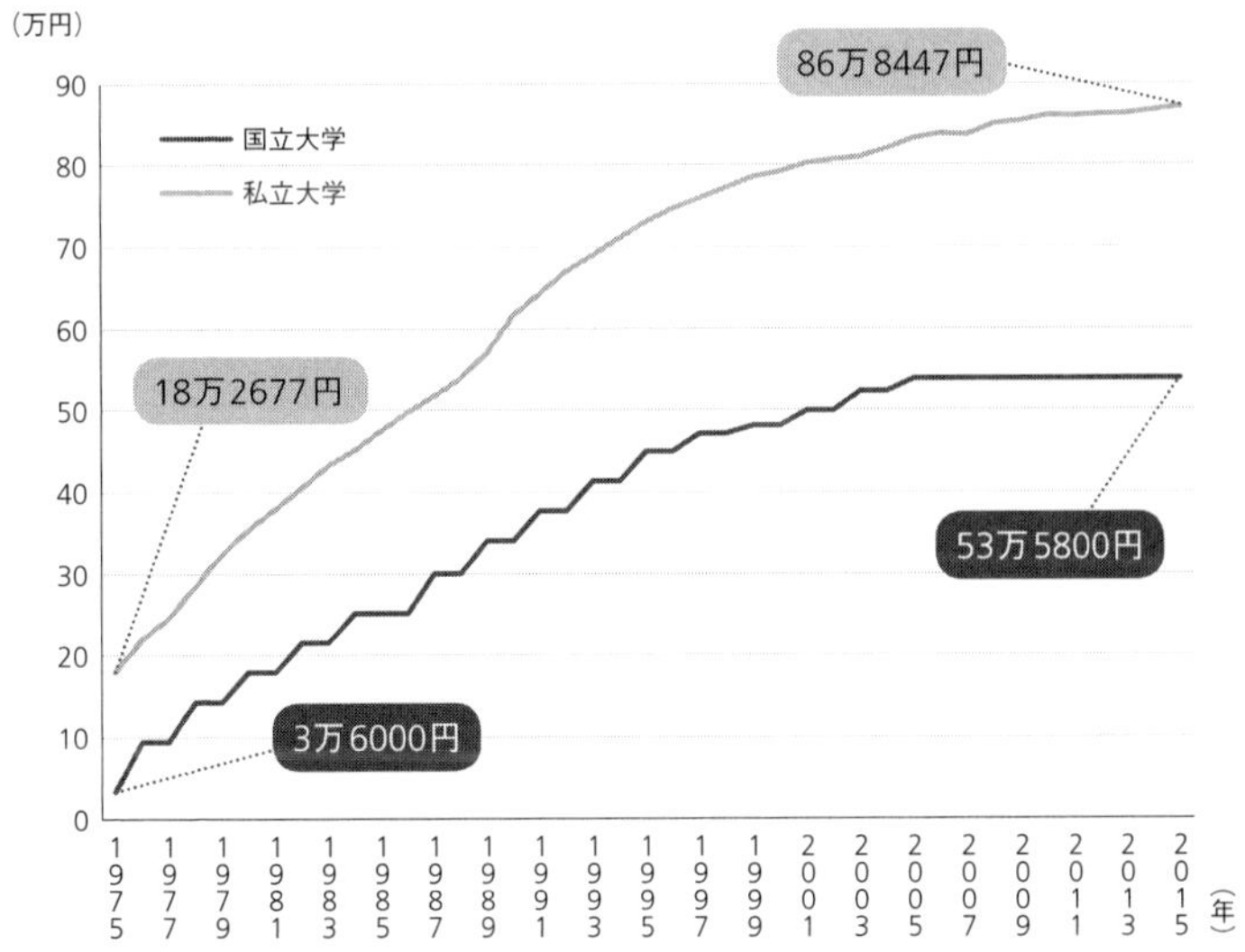

ては出していないのですが、昔は『タイム』と『ニューズウィーク』と並んで、アメリカで有名なニュース週刊誌だったのです。もう、週刊誌は出していませんが、起死回生の策として、年に何回か、「大学ランキング」というのをつくるようになったのね（p220図表㉓）。これがものすごく売れるのです。全国の高校生たちが大学の志望校を決めようとして、これを買うわけね。このランキングが学費高騰のひとつの理由となったのです。

それまで、アメリカでは、確かに、ハーバードとかスタンフォードとかMITっていうのは有名な大学だけど、地方の高校生の中には地元の大学への進学を考える人がたくさんいました。テキサスだったら、テ

図表㉒―**アメリカと日本の大学教授年収比較**

出典：Faculty Salaries at 4-year private colleges（2018-2019）-Chronicle Data／文部科学省「独立行政法人、国立大学法人等及び特殊法人の役員の報酬等及び職員の給与の水準」（平成30年度）

アメリカ	（円）
スタンフォード大学	2669万4360
プリンストン大学	2606万6460
シカゴ大学	2594万7285
イェール大学	2482万6410
ハーバード大学	2473万8420
マサチューセッツ工科大学	2438万2680
コロンビア大学	2349万0180
ペンシルベニア大学	2348万7765
ノースウエスト大学	2249万8665
ジョージタウン大学	2188万6410

日本（国立大学）	（円）
東京大学	1196万5000
政策研究大学院大学	1166万8000
東京医科歯科大学	1166万1000
東京工業大学	1163万1000
東京海洋大学	1161万0000
名古屋工業大学	1145万2000
お茶の水女子大学	1132万4000
名古屋大学	1124万2000
筑波大学	1117万5000
東京農工大学	1116万5000

＊日米いずれも年収額上位の大学で、各大学の教授全体の平均額。1ドル105円で換算。日本の資料では100円以下は切り捨てとなっている

キサスA&M大学という伝統の大学があるし、ジョージアに行けば、ジョージア工科大学があるしというので、みんな地元周辺でそれなりの定評のある大学を目指したわけです。ところがランキングでは、全米の大学を学部ごとに、それぞれ順位をつけたのです。それを見ると、ランキングの高いほうに行こうと思うでしょう。言ってみれば、日本でいう、大学を偏差値でランクづけするような事態が起き始めたわけです。

そして、その大学ランキングの比較項目の中には、もちろん、優秀な研究者がどれだけいるかということもあったのですが、設備がどれだけ充実しているのか、卒業生からの評価がどれくらいなのか、という項目も入っていました。

立派な体育館やプールをつくったり、学生のための立派な学生会館をつくったりすると、それによってランキングが上がるのです。ランキングが上がれば、大勢の学生が来てくれるし、ランキングが下がれば、当然、学生が来なくなる。

ほとんどが私立の大学だからランキングが下がると経営難に陥ってしまいます。全国の大学が『USニューズ&ワールドリポート』のランキングの順位を上げようとして、設備投資に大変なお金をかけるようになったのです。結果的に、学費がどんどん上がっていくということになってしまいました。だから今、『USニューズ&ワールドリポート』は、大学ランキングの項目に学費が安いというのも入れるべきではなかったか、と批判されて

図表㉓―**アメリカ大学ランキング　トップ10**｜出典：US News 2021 Best Colleges

順位	大学	所在地	創設年
①	プリンストン大学	ニュージャージー州	1746年
②	ハーバード大学	マサチューセッツ州	1636年
③	コロンビア大学	ニューヨーク州	1754年
④	マサチューセッツ工科大学	マサチューセッツ州	1861年
④	イェール大学	コネティカット州	1701年
⑥	スタンフォード大学	カリフォルニア州	1891年
⑥	シカゴ大学	イリノイ州	1890年
⑧	ペンシルベニア大学	ペンシルベニア州	1740年
⑨	カリフォルニア工科大学	カリフォルニア州	1891年
⑨	ジョンズホプキンス大学	メリーランド州	1876年
⑨	ノースウエスタン大学	イリノイ州	1851年

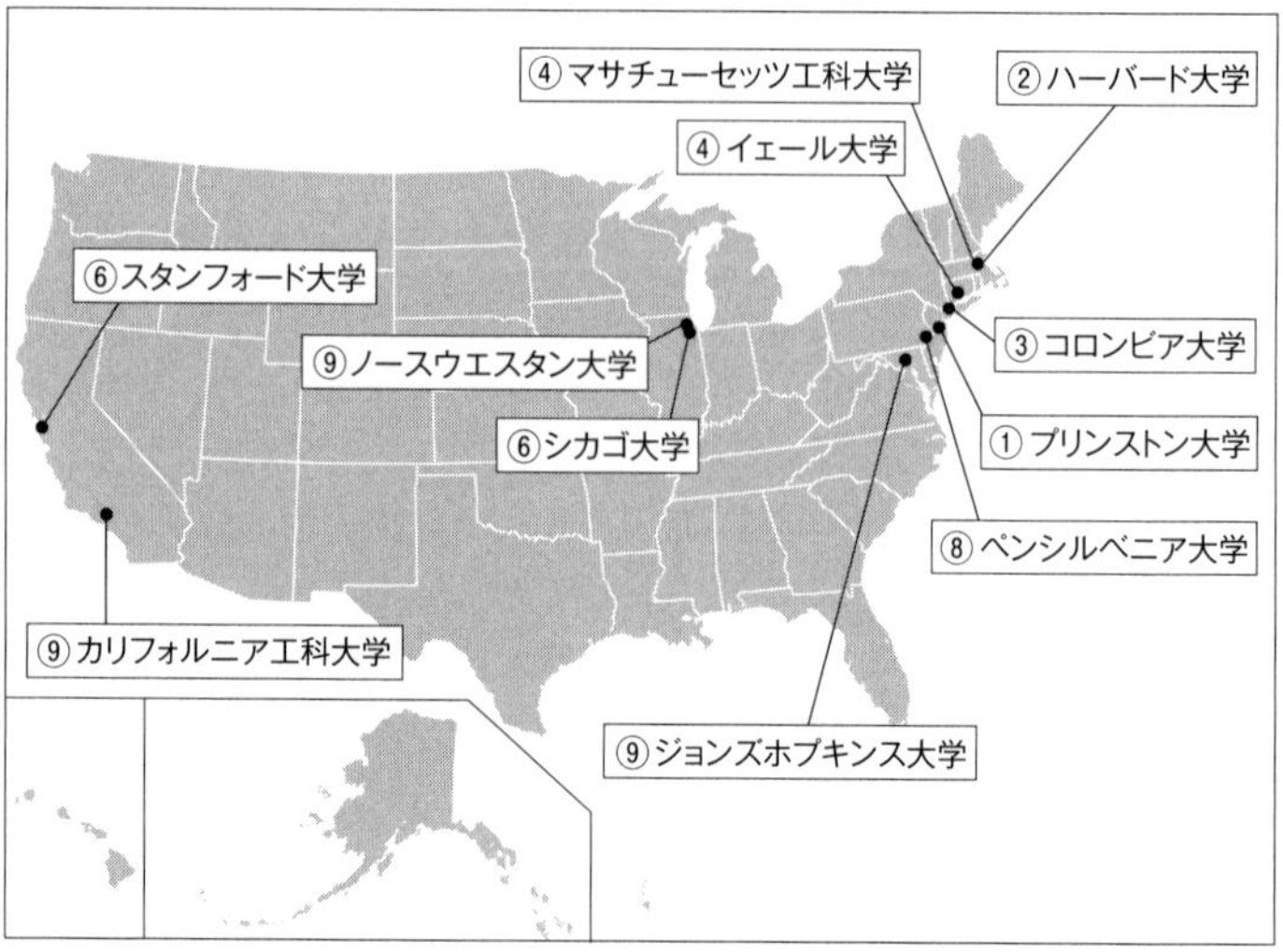

います。学費値上がりの原因はほかにも、州立大学なら州の補助金の削減、地域によっては若年人口の減少などが挙げられます。

奨学金と学費ローン

学費が上がったにもかかわらず、あまり問題にならずにいるのは、大学の「奨学金制度」がかなり充実しているというのがあります。

日本の「奨学金」という言い方は問題があります。本来、グローバルスタンダードな奨学金というのは、返す必要がないものをいうのです。日本の場合は、いずれ返さなければいけないものも奨学金っていっているでしょう。あれは、英語でいえば、「学費ローン」なのです。

アメリカでは、奨学金と学費ローンははっきり分けられています。そして、本当に家が貧しくても、成績が優秀なら、奨学金がもらえます。そうすれば、まったく学費を払わないで大学に行けるわけだよね。

ハーバードでも、学費が年間500万円で4年間で2000万円であっても、奨学金をもらえれば、全然お金がかからないで学ぶことができるという制度があるのです。

でも、奨学金がもらえないで入学するなら、学費ローンを組むしかない。そうなると、卒業の段階で何千万円もの借金ができてしまう。それが近年ずっと問題になっているのです。卒業してすぐに、それなりの給料をもらえるようなところに就職できれば、その給料で返済できますが、それができない場合は、返済ができない。「学費ローン破産」というのがアメリカで大変大きな問題になっているのです。

そのため、民主党のバーニー・サンダースや、エリザベス・ウォーレンといった人たちが、そういう学費ローンを救済しようじゃないかと。あるいは、学費ローンの少なくとも金利、利子は取らないようにすべきであるとか、そういう主張をして、学生たちの絶大な支持を得たのです。アメリカでは、学生たちの大学生活においても、大変な格差ができてしまっているという現実があるのです。

大学4年間はリベラルアーツ教育を行う

アメリカの場合、大学の4年間は、リベラルアーツ教育を行うのが一般的です。日本のように、たとえば、経済学部に入ると、最初から経済学を勉強する、法学部に入れば法学を勉強するというのではなく、これから社会に出ていくために必要な哲学、文学、歴史、自然科学などの基礎的な教養を幅広く学びます。これがリベラルアーツ教育です。

　リベラルアーツを学んだうえで、たとえば、弁護士や裁判官になりたければ、そのあと、ロースクールという法科大学院に行けばいい。あるいは、医者になりたければ、それからメディカルスクールに行けばいい。経営学を勉強したければ、ビジネススクールに行けばいい、というわけです。まずは、リベラルアーツを学ぼうというのが、アメリカの大学の基本的な考え方なのです。

　私も今、東工大でリベラルアーツ研究教育院にいるものだから、つい我田引水の話になってしまうのですが、以前、ＭＩＴに調査に行ったことがあります。理系の世界トップレベルの大学です。東工大も日本のＭＩＴを目指しているわけですが、そこで、「世界最先端の最新の技術や理論を教えているのでしょう」と言ったら、先生たちが、「そうではない」と言うのです。

「最先端の技術などというのは、数年であっという間に陳腐化してしまいます。数年で使いものにならなくなるようなことを大学で教えたって意味がありません。自分たちで最先端の技術をつくっていくような能力を身につけるのがこの大学なのです」と言われました。

　びっくりしたのが、音楽教室が充実していて、ピアノがある教室がずらっと並んでいたことです。音楽ができる人って、結構数学ができたり、数学ができる人って音楽ができたりという、実はそういう親和性があるというのです。学生たちは、教室で音楽の勉強をしていました。

将来、科学技術の最先端に取り組むと、当然、この技術が人間にとってメリットがあるのか、デメリットなのかという、そういうモラルに直面することがある。そのためにもリベラルアーツを学んでおくことが大切で、音楽も教養のひとつだというわけです。

ヒラリー・クリントンの出身校として知られるエリート女子大学ウェルズリーカレッジも調査しました。ここは、徹底したリベラルアーツ教育を行っていますが、訪ねてびっくりしました。広大なキャンパスの中に人工の湖まであって、学生たちはその中でのびのびと勉強しているのです。

案内してくれた黒人の女子学生に、「ここでどんなことを勉強しているの?」と聞いたら、「リベラルアーツを学んでいる」というので、ついつい私は経済学部の卒業生なものだから、「経済学は学んでいるの?」と聞いたら、「経済学は学んでいるけど、経営学はやりません」と言うのです。

「経済行動というのは人間を理解するのに役に立つ。だから、経済学は学びます。だけど、経営学は、どうやって企業経営をしていくかという、極めて技術的なことなので、そういうすぐ役に立つことは大学では教えません。大学のリベラルアーツはすぐに役に立たないことを教えるところです」

これには驚きました。すぐに役に立つことは大学院に行って学べばいいじゃないかと。だから、4年間はすぐに役に立たないようなことを学びなさい、というのがアメリカの大学の基本的な考え方なのだと、目からウロコが落ちた思いでした。

アメリカの大学は自前の警察を持っている

学問とは違う角度から、アメリカの大学の一面を紹介しましょう。先ほど、ウェルズリーカレッジが、ものすごく広大で人工の湖まであると話しましたが、鬱蒼《うっそう》とした森もあって、夜、女性が歩くのは怖いだろうな、と思いました。

そうしたら、「キャンパスポリス（Campus Police）」というパトカーが学内をずうっと巡回していて、学生たちの安全を守っているのです。これも、驚きでしたよね。大学にとっては「自治」が大切です。よその警察には介入させない。だから、大学自体が自治として、独自に警察を持っているのです。ウェルズリーだけでなく、アメリカではそれぞれの大学が警察を持っています。

大学警察は、自治体警察の一種です。アメリカの警察制度は、自治体警察を基本としています。州警察や市町村警察、空港警察、公園警察など大小の警察がありますね。トランプ支持者が乱入して大問題になった連邦議会の警察も独自の議会警察です。

当然、大学が警察官を養成することはできません。ＦＢＩが全国の自治体警察の警察官を養成する養成学校を運営していて、卒業したプロの警察官を、それぞれの大学がキャンパスポリスとして、採用しているのです。

警察官だから逮捕権もあるし、常に銃を持っています。だから、アメリカの大学の学内を歩いていると、突然、パトカーが通ったり、あるいは、警察官が歩いていたりすることがあります。ちょっとびっくりするのですが、アメリカには自治という考え方がいろんなところに現れている、ということなのです。

もうひとつ、アメリカの大学で、ちょっと驚くことがあります。アメリカでは、誰でも自由に、「大学（University／College）」を名乗れるんです。

日本の場合は、大学として認定する基準というのがあって、たとえば、キャンパスはこれくらいの広さであるとか、学生の数に応じて教授はこれだけいなければならないとか、図書館には何万冊の本がなければいけないとか、基準が厳密に決められています。それらの条件をクリアし、文部科学省の認定を得て、初めて大学と名乗れるわけです。

大学同士で相互チェックを行っている

――誰でも勝手に、大学を名乗れる。それだと、教える内容はどうなのでしょう？

誰もが、そう思うよね。そこで、アメリカでは、全米に六つの「大学基準協会」というのを、大学が自発的に集まってつくっています。各協会に加盟している大学同士で、それぞれの大学が基準の教育レベルに達しているのかどうか、研究水準が高いか、本当に大学と名乗っていいのかということを、相互にチェックするシステムがあるのです。

だから、君たちがアメリカでどこかの大学に留学しようとする時に、ぜひ気をつけてほしいのは、ウェブサイトに「大学基準協会加盟」というのが入っているか見ることです。入っていれば、基本的に、それなりのレベルがあるし、そこで単位を取れば、ほかの大学に行っても単位として認定されます。

ところが、基準協会のクレジットがどこにも書いていなかったりすると、「なんちゃって大学」の可能性があります。そこの単位を取っても、ほかの大学で単位として認定されないということがある。これにぜひ気をつけてほしいということですね。

中には、学費さえ払えば、すぐ卒業証書を出しますという、いかがわしいところがあります。ディプロマ・ミル（Diploma mill）あるいはディグリー・ミル（Degree mill）（意味はいずれも「学位工場」）と呼ばれる大学です。以前、日本の結構有名な人がアメリカの大学卒業と言っていたのですが、その「学位工場」のなんちゃって大学にお金を払って、学位をもらっていたことがばれてしまったことがありました。

日本もアメリカに倣って、実は大学基準協会というのがあります。全国の多くの大学が入っています。ということは、入っていない大学もあるということだよね。数年前に見たら、都内のそれなりに名前の知られている某私立大学について、大学基準協会の評価報告書というのがウェブサイトに載っていました。中を見たら、教える先生たちがみんな高齢者ばかりであるとか、もっと若い教員を採用しろ、なんていうことが書いてありました。

君たちが大学を目指そうという時に、日本の大学基準協会のウェブサイトを見ると、大学基準協会に正式加盟しているところと、加盟に準じているところと、名前のない大学があります。大学基準協会に加盟しようとすると、ほかの大学からチェックされてしまうので、自信がないところは加盟しないということですね。できれば、大学基準協会に加盟している大学の中から選ぶほうがいいだろう、ということです。

こういうところにも、アメリカと日本の違いが現れていますね。日本はお上に大学だと認定してもらうと大学と名乗れる。アメリカは誰でも勝手に名乗っちゃうから、みんなでチェックし合いましょうと、そういう違いがあるのだということですね。

アメリカの教育制度について話してきましたが、質問のある人はいますか？

――質問ではないのですが、義務教育課程で学区の税収が低いと、学校の先生や環境も悪くなるというのがとても気になりました。経済で子どもたちの教育レベルが決まってしまうというのは、辛いです。

所得の低い人たちばかりの町の小学校は、運営資金がものすごく少ないです。教員に払える給料がすごく低いわけ。それでも、時々、そういう所得の低い地域の子どもたちのところでこそ教えるべきだっていう、非常に使命感に燃えた先生がいます。あるいは、ボランティア活動で低所得層の子どもたちの学習の手伝いに行く人がいます。

アメリカの大学生に人気の就職先に、ティーチ・フォー・アメリカという教育関係のNPO団体があります。優秀な学生たちが貧しい地区に行き、子どもたちに勉強を教えるのですが、その資金は企業から提供してもらっています。アメリカの大学生には子どもたちに勉強を教えたいという人が多いのです。

そういう人の体験談を書いた本というのが時々出ています。最近でいえば、『パトリックと本を読む』（ミシェル・クオ著　神田由布子訳　白水社）という本があります。これは、所得の低い子どもたちのところでボランティアの活動に協力した大学院生が、黒人の少年に、一生懸命本を読むことの面白さを教える話なのですが、そのあと、とんでもないことが起きるの。それ以上のネタばらしはやめましょう（笑）。

日本にも、所得が非常に低くて、塾に通えない。だから、大学に行けないような子どもたちのために、いろいろ支援活動をするボランティア団体があります。経済格差のしわ寄せが弱者に向かう状況は、アメリカも日本も変わりません。そういう現実があるということですね。

さらに言うと、実はアメリカの乳児死亡率が高いのです。世界最先端の医療技術を持った病院がある一方で、本当に貧しいところでは病院にかかれない人もいて、乳児死亡率でいえば、先進国の中では高い。あまり報道されないアメリカの陰の部分です。

私の場合も、アメリカっていいなと思うところと、うんざりするところと両方あります。民主主義の大国であり、言論の自由もある、表現の自由もある。その一方で、国を守るためなら、あらゆることをするという、とても勝手な国でもある。さらに言えば、銃を持つ自由を大切にしようという国でもある。

そして、日本から見るかぎり、ニューヨークやカリフォルニアの人たちは、洗練されていて、差別意識を持っていない人たちが多いのです。一方で、中西部や南部には、いまだに黒人差別を平然とやっている人たちもいる。とてつもない先進国と大変な発展途上国が一緒になっているのがアメリカっていう国なんだ、というふうに考えたほうがいいのかもしれません。州によって、教育制度や法律も違う。「アメリカは」と簡単にひとくくりにして言っていいのか、という思いがあります。「そのアメリカって、どこの?」とツッコミを入れられそうな気がします。

今回の授業では、既刊の『池上彰の世界の見方　アメリカ』の内容と重ならないように、「意外なアメリカ」について話しました。みんなが、アメリカってどんな国なのかというのを、それぞれの頭の中でイメージしてつくってくれればいいなと思っています。

そして、これはアメリカにかぎらないよね。中国だって、ものすごく魅力あふれるところもあるし、嫌だなっていうところもある。それは、お隣の韓国もそうだよね。それぞれの国をステレオタイプに、あそこはあんな国って見ないでほしい。それぞれ本当に多様な面を持った国なのだ、ということをぜひ知ってほしいなと思います。

――(生徒代表)　アメリカはすごく日本にとって身近な国でありながら、今回の授業を聞くまで知らなかったことがたくさんあり、とても驚きが多かったです。特に黒人差別については最近問題になっていますが、知らないことがたくさんあって、とても勉強になりました。本当にありがとうございました。

――(生徒全員)　ありがとうございました(拍手)。

アメリカ合衆国略年表（本書に関連した項目を中心に作成）

1619 アメリカ大陸の大規模農園に黒人が奴隷として導入され始める。
1620 メイフラワー号がプリマス（現マサチューセッツ州）に到着。ピューリタン41人が上陸。
1636 ハーバード大学創設。
1662 バージニア植民地議会が世襲的黒人奴隷制を制定。
1775 イギリスとの独立戦争（〜83）
フィラデルフィアで奴隷制反対協会が設立。
1776 アメリカ独立宣言。
1783 パリ条約締結でアメリカ合衆国成立。
1787 アメリカ合衆国憲法起草。翌年発効。
1789 ジョージ・ワシントンが初代大統領に就任。
1808 奴隷貿易が禁止される。
1820 ミズーリ協定。北緯36度30分より北を自由州、南を奴隷州と定める。
1823 アメリカ大陸と欧州諸国の相互不干渉主義を表明するモンロー教書発表。
1828 民主党が発足。
1830 先住民強制移住法が制定され、ネイティヴ・アメリカンが西部の居留地に移される。
1854 共和党が結成。これ以降、民主党と共和党による二大政党制となる。

1861 リンカーンが大統領に就任。
南部7州が「南部連合」を結成し、アメリカ合衆国離脱を図る。南北戦争開始。
1863 奴隷解放宣言。
1865 4月、北軍の勝利で南北戦争終了。
リンカーン大統領が南部連合の支持者により暗殺される。合衆国憲法修正第13条が批准され、正式に奴隷制度が廃止される。
1866 クー・クラックス・クラン（KKK）結成。
1876 南部で白人と黒人を分離する「ジム・クロウ法」成立。
1890 ミシシッピ州で黒人の参政権を実質的に奪う州法が成立。
1896 連邦最高裁判所が、公共施設での黒人分離は合法と判決。
1904 パナマ運河建設開始（1914年開通）。
1914 第一次世界大戦勃発（〜18）。
1918 ウィルソン大統領、十四か条の平和原則を発表。
1929 ニューヨーク市場の株価暴落。世界大恐慌へ。
1933 ローズヴェルト大統領によるニューディール政策開始。
1939 大統領行政府が設置される。
第二次世界大戦勃発（〜45）。
1941 12月、日本が真珠湾を攻撃。アメリカ、日本に宣戦布告し太平洋戦争へ。
1945 8月、広島、長崎に原爆投下。日本が降伏。

1947 10月、国際連合設立。
1947 トルーマン大統領が共産主義拡大に対する封じ込め政策を提唱（トルーマン＝ドクトリン）。
CIA（中央情報局）が設置される。
1949 北大西洋条約調印、NATO発足。
1951 サンフランシスコ講和条約、日米安全保障条約調印。
1954 連邦最高裁判所が、公立学校での黒人分離を不平等とする判決を下す。
1955 キング牧師、バスボイコット運動を主導（公民権運動へ）。
1960 新日米安全保障条約に調印。
1962 キューバ危機。
1963 キング牧師がワシントンでの集会（ワシントン大行進）で、「私には夢がある」の演説。
1964 公民権法が成立。キング牧師にノーベル平和賞。
1965 米軍が北ベトナムを空爆し、ベトナム戦争本格化（〜75）。
マルコムX暗殺される。
1968 キング牧師暗殺される。
1971 投票権が18歳に引き下げられる。
1972 ニクソン大統領、中国、ソ連を訪問。
1974 ウォーターゲート事件によりニクソン大統領辞任。
1989 マルタ島で米ソ首脳会議。冷戦終結へ。
1991 湾岸戦争勃発。
1992 ロサンゼルス暴動が起こる。
ミネソタ州で全米初のチャータースクールが誕生。
1996 米軍がイラクを空爆。

2000 共和党ブッシュと民主党ゴアが争った大統領選挙で、フロリダ州で票の再集計が行われるも、最高裁がこれを禁じる判決を下し、ゴアが敗北宣言。
2001 9・11、アメリカ同時多発テロ。
2003 イラク戦争勃発。
2009 バラク・オバマが大統領に就任。初の黒人大統領誕生。
2016 大統領選挙で民主党のヒラリー・クリントンが得票数では上回ったものの、獲得した大統領選挙人の数で共和党のドナルド・トランプが上回り、当選。
2019 12月、宇宙軍が正式に設置される。
2020 3月、新型コロナウイルスの感染が拡大し始める。
5月、ミネソタ州ミネアポリスで、偽札使用の疑いで捕まった黒人男性が、白人警官の膝で首を押さえつけられ死亡。この事件の様子がSNSで拡散され、全米で「ブラック・ライブズ・マター運動」が拡大する。
7月、17年ぶりに連邦政府が死刑執行を命令。
9月、リベラル派の連邦最高裁判所判事ルース・ベイダー・ギンズバーグ氏が亡くなる（享年87）。
11月3日、大統領選挙投票日。8日、ジョー・バイデン勝利宣言。
2021 1月6日、連邦議会でバイデンの当選が確定。20日、バイデン、第46代大統領に就任。

＊参考資料・文献／池上彰『そうだったのか！ アメリカ』（集英社文庫）、上杉忍『アメリカ黒人の歴史』（中公新書）、『詳説世界史』（山川出版社）、『20世紀年表』（毎日新聞社）ほか

おわりに

アメリカという国が、実に多様な顔を持っていることがおわかりいただけたでしょうか。『池上彰の世界の見方』シリーズでは、すでにアメリカについて取り上げていたのですが、とても一冊では語りきれないと考え、続編をつくることにしました。

アメリカの大統領選挙の仕組みひとつをとっても、アメリカはアメリカ流の民主主義を守るために、実にややこしい制度を築き上げてきました。

2020年の大統領選挙では、トランプ大統領が、この制度を破壊しようとしましたが、果たせませんでした。大統領の権力をもってしても、思うようにはいかない。これがアメリカの民主主義の強さなのです。

アメリカの憲法を制定した建国の父たちは、民主主義制度を破壊しようとする人物が現れても、うまくいかないように権力の分立をつくっておきました。それが今回、功を奏しました。権力の恐ろしさを知った人たちだったのでしょう。

大統領選挙以外でも、アメリカの民主主義の理想を見ることができます。そのひとつが陪審制を取り入れた裁判制度です。

陪審制では、人々から選ばれた素人たちが、被告に対して「有罪」「有罪に至らず」「無罪」などとする評決を行います。プロの裁判官に任せずに、自分たちで裁判の結果を左右する。これぞ究極の民主主義かもしれません。

そして教育制度。州ごとに制度が異なり、家庭での教育も認められているのがアメリカです。画一化されていない教育制度は、時として弱みにもなりますが、強みにもなるのです。さて、こんなアメリカを、あなたはどのように評価するのでしょうか。すっかり時代遅れになった国家なのか、それとも最先端を走ろうとしているのか。

この本は、東京都立国際高等学校の生徒諸君を対象に実施した授業に基づいています。アメリカに留学したことのある生徒や海外からの留学生もいる学校ですから、多様性に富み、授業態度も熱心です。アメリカという国の不思議さに魅了されてしまった生徒もいたようです。

国際高校の先生方と生徒諸君の協力に感謝します。これからも、ニュースを見ることで、アフター・トランプのアメリカを注視していこうではありませんか。

池上　彰

本書を刊行するにあたって、
東京都立国際高等学校の
先生や生徒のみなさまにご協力いただきました。
厚く御礼申し上げます。
――編集部

池上彰の世界の見方
Akira Ikegami, How To See the World

アメリカ2

超大国の光と陰

2021年3月3日 初版第1刷発行

著者
池上 彰

発行者
小川美奈子

発行所
株式会社小学館
〒101-8001 東京都千代田区一ツ橋2-3-1
編集03-3230-5112 販売03-5281-3555

印刷所
凸版印刷株式会社

製本所
株式会社 若林製本工場

© Akira Ikegami 2021 Printed in Japan ISBN978-4-09-388794-6

構成・岡本八重子／**ブックデザイン**・鈴木成一デザイン室
DTP・昭和ブライト／**地図製作**・株式会社平凡社地図出版
編集協力・西之園あゆみ／**取材協力**・根本裕三／**校正**・小学館出版クォリティーセンター
撮影・五十嵐美弥(本文)、岡本明洋(カバー、帯)
スタイリング(カバー写真)・興津靖江(FELUCA)／**制作**・星一枝、
斉藤陽子、坂野弘明／**販売**・大下英則／**宣伝**・細川達司／**編集**・園田健也